BRITISH RAILWA

ELE
MULTIF

ELEVENTH EDITION
1998

The Complete Guide to all
Electric Multiple Units which run on
Britain's Mainline Railways

Peter Fox

BN 1 872524 99 0

CONTENTS

ACQUISITION OF INFORMATION

This book has been published with great difficulty. Privatisation of the r ways and the splitting up of BR into different companies has been used as excuse to deny the railway press access to official rolling stock library inf mation, breaking a tradition of freely-supplied information which has exis for around half a century. We hope that readers will find the informat accurate, but cannot be responsible for any inaccuracies.

We would like to thank the companies and individuals which have been operative in supplying information and would ask other companies wh find this book useful to help us in future to make the book as accurate possible.

This book is updated to 1st January 1998.

ORGANISATION OF BRITAIN'S RAILWAY SYSTEM

NFRASTRUCTURE

ritains national railway infrastructure, i.e. the track, signalling, stations and verhead line equipment is now owned by a private company called 'Rail-ack'. Many stations and maintenance depots are leased to train operating ompanies. The exception is the infrastructure on the Isle of Wight, which is ased from Railtrack to Island Line.

OMESTIC PASSENGER TRAIN OPERATIONS

assenger trains are operated by train operating companies (TOCs). These OCs operate on fixed term franchises. A list of these is appended below:

OC	*Operator*	*New Name*
glia Railways	GB Trains	
ter City East Coast	Sea Containers Ltd.	Great North Eastern Railway
ter City West Coast	Virgin Group	Virgin Trains
oss Country Trains	Virgin Group	Virgin Trains
eat Western Trains	Great Western Holdings	
orth West Regional Railways	Great Western Holdings	North Western Trains
dland Main Line	National Express	
twick Express	National Express	
orth London Railways	National Express	Silverlink
ntral Trains	National Express	
otrail	National Express	
erseyrail Electrics	MTL Holdings	
gional Railways North East	MTL Holdings	
S Rail	Prism Rail	
uth Wales & West Railway	Prism Rail	Wales & West Passenger Trains
rdiff Railway Co.	Prism Rail	
est Anglia Great Northern	Prism Rail	
uth West Trains	Stagecoach	
and Line	Stagecoach	
twork South Central	Connex	Connex South Central
uth East Trains	Connex	Connex South Eastern
eat Eastern	FirstBus	
ameslink	GOVIA	
iltern Railways	M40 Trains	
ames Trains	Victory Rail	

NOTES ON TRAIN OPERATING COMPANY OWNERS

Connex

This is a French company owned by Société Générale des Entreprises Automobiles, a subsidiary of Compagnie Générale des Eaux.

FirstBus

This is a large bus company which was originally formed by the amalgamation of Badgerline and GRT bus group.

GB Trains

This is a company set up for rail privatisation.

GOVIA

A joint venture between the Go-Ahead bus company and VIA, a French public transport operating company.

Great Western Holdings

This is a jointly owned by the former Great Western Trains management. 3i plc and FirstBus.

National Express

This is an operator which runs express coach services, mainly by sub-contracting them to various bus companies. It also owns East Midlands Airport.

M40 Trains

This is owned by the former management of Chiltern Railways.

MTL Holdings

This is the former municipal bus operator Merseyside PTE which operates buses in Merseyside and London.

Prism

This is a company whose shares are owned by individuals and financial institutions. Its chairman is joint managing director of EYMS, a bus company.

Sea Containers

This is a Bermuda-based shipping company which also owns the Venice Simplon-Orient Express.

Stagecoach

Tha largest private bus operator in the UK.

Victory Railway Holdings

This is a joint venture between the Go Ahead group and Thames Trains managament.

Virgin Group

This is the well-known company headed by Richard Branson which has interests in travel, leisure and retailing.

CHANNEL TUNNEL PASSENGER TRAIN OPERATIONS

Eurostar trains are operated by Eurostar (UK) Ltd. jointly with French Railways (SNCF) and Belgian Railways (NMBS/SNCB). Eurostar (UK) will also operate the Night Service trains jointly with SNCF, Netherlands Railways (NS) and German Railways (DB). Eurostar (UK) is now owned by a private company, London & Continental.

OWNERSHIP OF LOCOMOTIVES AND ROLLING STOCK

The locomotives of EWS and those of Eurostar are owned by those companies. Most locomotives, hauled coaching stock and multiple unit vehicles used by the passenger train operating companies are owned by three leasing companies which were originally set up by British Railways as subsidiaries and then privatised. These are:

- Forward Trust Rail (formerly Eversholt Leasing) owned by Hong Kong Shanghai Bank.
- Angel Train Contracts (owned by the Royal Bank of Scotland).
- Porterbrook Leasing Company Ltd (owned by Stagecoach Holdings).

Other vehicles are owned or operated on behalf of private owners by various private companies such as Fragonset Railways, West Coast Railway CompanyLtd., Riviera Trains Ltd. and the Venice-Simplon-Orient Express Ltd.

Further details of these companies will be found in the section on abbreviations and codes. Thus for each vehicle it is generally necessary to specify both the owner and the company which currently operates the vehicle.

A number of 'service' type vehicles are owned by Railtrack (e.g. Sandite vehicles) and others are owned by former BR Headquarters organisations which have now been privatised e.g. Serco Railtest or by railway vehicle manufacturing and repair companies. Royal Train vehicles are owned by Railtrack.

INTRODUCTION

Electric Multiple Unit operation on BR has increased enormously since th
end of the steam era, with most electrification schemes being carried out
25 kV a.c. using overhead conductor wires. The notable exceptions to th
are the lines of the former Southern Railway, where the existing 660-750
d.c. third rail system has been extended, with the voltage increased to 850
in certain areas. The other exception is the Merseyrail network, which ha
also been extended using the third rail system.

NUMBERING

BR design electric multiple unit vehicles are numbered in the series 6100
78999. Isle of Wight vehicles are numbered in a separate series. In this boo
stock is generally listed in order of the unit or set number. The unit or s
number is stated first, followed by any notes applicable to the particular se
These are followed by codes for livery, owner, operator and depot respe
tively. Finally the numbers of the individual cars in the set are given, in orde
Please note that reformations can and do occur. For off-loan vehicles, th
last storage location is given when known.

DESIGN CONSIDERATIONS

Unless stated otherwise, all multiple unit vehicles are of BR design, or d
signed by contractors for BR and have buckeye couplings and tread brake
Seating is 3+2 in standard class open vehicles, 2+2 in first class open veh
cles, 8 to a corridor standard class compartment and 6 to a corridor fir
class compartment. In express stock, open standards have 2+2 seating ar
open firsts have 2+1 seating.

VEHICLE CODES

The codes used by the Operating Department to describe the various diffe
ent types of electric multiple unit vehicles and quoted in the class headin
are as follows:

M Motor
DM Driving Motor
BDM Battery Driving Motor
T Trailer
DT Driving Trailer
BDT Battery Driving Trailer
B Brake, i.e. vehicle with luggage space and guards compartment
F First
S Standard
C Composite
RB Buffet Car
RSM Buffet Standard (Modular)
PMV Parcels and Mails Van

handbrake fitted
V Luggage Van
Side corridor with lavatory
Open or semi-open Vehicle with lavatory
Open vehicle
ɔ Semi-open vehicle

he letters (A) and (B) may be added to the above codes to differentiate etween two cars of the same operating type which have differences beveen them. The letter (T) denotes space for a catering trolley. Note that a onsistent system is used, rather than the official operator codes which are ometimes inconsistent.

otes:

) Compartment Stock (non-corridor) has no suffix.

) Semi-open composites generally have the first class accommodation in ompartments and the standard class in open saloons.

) Unless stated otherwise, it is assumed that motor vehicles are fitted with antographs. If the pantograph is on a trailer, then the trailer has the prefix ', e.g. PTSO - Pantograph trailer open standard.

composite is a vehicle containing both First and Standard class accommoation.

brake vehicle is a vehicle containing seperate specific accommodation for e guard (as opposed to the use of spare driving cabs on more recentlyuilt units).

IAGRAMS AND DESIGN CODES

or each type of vehicle, the official design code consists of a seven characr code of two letters, four numbers and another letter, e.g. EC2040B. The st five characters of this are the diagram code and are given in the class eading or sub heading. These are explained as follows:

t Letter

his is always 'E' for an electric multiple unit vehicle.

d Letter

follows for various vehicle types:

Driving motor passenger vehicles.
Driving motor passenger vehicles with a brake compartment.
Non-Driving motor vehicles.
Non-Driving trailer passenger vehicles with a brake compartment.
Driving Trailer vehicles.
Battery Driving Trailer passenger vehicles.
Driving Trailer passenger vehicles with a brake compartment.
Trailer vehicles.
Battery Driving Motor passenger vehicles.
Trailer passenger vehicles with a brake compartment.
Trailer passenger vehicles with a buffet compartment.

O	Battery Driving Trailer passenger vehicles with a brake compartment
P	Trailer passenger vehicles with a handbrake.
X	Driving Motor Luggage Vans.

1st Figure

1	First class accommodation.
2	Standard class accommodation (including declassified seats).
3	Composite accommodation.
5	No passenger accommodation.

ACCOMMODATION

This information is given in class headings and sub headings in the form F/S nT, where F & S denote the number of first class and standard class seats followed by n which denotes the number of toilets. (e.g. 12/54 1T denotes 12 first class seats, 54 standard class seats and one toilet). In declassified vehicles, the capacity is still shown in terms of first and standard class seats to differentiate between the two physically different seat types available, although all seats are officially standard class in such instances. TD denotes a toilet suitable for a disabled person.

BUILD DETAILS

LOT NUMBERS

Each batch of vehicles is allocated a Lot (or batch) number when ordered and these are quoted in class headings and sub headings.

BUILDERS

These are shown in class headings where the following abbreviations are used:

Ashford	BR Ashford Works.
ADtranz Derby	ADtranz Ltd., Derby Carriage Works.
ABB York	ABB Transportation Ltd., York Works. (now closed.)
AEI	Associated Electrical Industries Ltd.
BRCW	The Birmingham Railway Carriage & Wagon Co. Ltd.
Brush	Brush Traction Ltd., Loughborough.
BTH	The British Thomson Houston Co. Ltd.
CP	Crompton-Parkinson Ltd.
Derby	BR or BREL Derby Carriage Works. (was ABB, now ADtranz
Doncaster	BR Doncaster Works. (now ADtranz Ltd.)
Eastleigh	BR Eastleigh Works. (now Wessex Traincare Ltd.)
EE	The English Electric Co. Ltd.
GEC	The General Electric Company Ltd.
Gloucester	The Gloucester Railway Carriage and Wagon Co. Ltd.
Hunslet	Hunslet Transportation Projects Ltd.
Metro-Cammell	The Metropolitan Cammell Railway Carriage and Wagon Co Ltd. (now part of GEC Alsthom.)
MV	The Metropolitan-Vickers Co. Ltd.
Pressed Steel	Pressed Steel Ltd.

Wolverton	BR Wolverton Works. (now Railcare Wolverton.)
York	BR or BREL, York.

Where a dual BR works builder is shown (e.g. Ashford/Eastleigh) the first named built the underframe and the last named built the body and assembled the vehicle. For recently-built vehicles, the first name is that of the main contractor with the second name being the underframe and final assembly sub-contractor.

ABBREVIATIONS USED

NMBS	Nationale Maatschappij Belgische Spoorwegen*
SNCB	Société Nationale des Chemins de Fer Belges*
SNCF	Société Nationale des Chemins de Fer Francais§
SR	Southern Railway
(S)	Stored Serviceable
(U)	Stored Unserviceable

* Belgian Railways in Dutch and French respectively.
§ French Railways.

LAYOUT

The layout in this section is as follows:

(1) Unit number.
(2) Notes (if any).
(3) Livery code.
(4) Owner code.
(5) Operation code.
(6) Depot code.
(7) Individual car numbers.

Thus an example of the layout is as follows:

No.	*Notes*	*Livery*	*Own.*	*Oper.*	*Depot*	*Car 1*	*Car 2*	*Car 3*	*Car 4*
317 328		**N**	A	*LS*	EM	77027	62687	71604	77075

For off-loan vehicles, the last storage location is given where known.

1. 25 kV a.c. OVERHEAD EMUs.

Note: All units are 25 kV overhead only except where stated otherwise.

CLASS 302

BDTCOL (declassified)–MBSO–TSOL–DTSO or BDTCOL–MBSO–DTSO. All remaining units refurbished with new seats & fluorescent lighting.
Gangways: Within unit.
Traction Motors: Four EE536A 143.5 kW.
Dimensions: 19.50 x 2.82 m (outer cars), 19.36 x 2.82 m (inner cars).
Maximum Speed: 75 m.p.h.

75085–75205. BDTCOL. Lot No. 30436. York/Doncaster 1958–59. Dia. EF303. 24/52 1T. 39.5 t. B5 bogies.
75311–75325. BDTCOL. Lot No. 30440. York/Doncaster 1959. Dia. EF303. 24/52 1T. 39.5 t. B5 bogies.
61060–61091. MBSO. Lot No. 30434. York 1958–59. Dia. ED216. –/76. 55.3 t. Gresley Bogies.
61122–61193. MBSO. Lot No. 30438. York 1960. Dia. ED216. –/76. 55.3 t. Gresley Bogies.
70060–70091. TSOL. Lot No. 30437. York/Doncaster 1958–59. Dia. EH223. –/86 1T. 34.4 t. B4 bogies.
70122–70193. TSOL. Lot No. 30441. York 1959–61. Dia. EH223. –/86 1T. 34.4 t B4 bogies.
75033–75079. DTSO. Lot No. 30435. York 1958–59. Dia. EE219. –/88. 33.4 t B4 or B5 bogies.
75236–75250. DTSO. Lot No. 30439. York 1959–60. Dia. EE219. –/88. 33.4 t B4 or B5 bogies.

302 201	**N**	F	*LS*	EM	75085	61060	70060	75033
302 203	**N**	F		PB	75311	61122	70122	75236
302 204	**N**	F	*LS*	EM	75088	61063	70063	75036
302 211	**N**	F		PB	75095	61070	70070	75043
302 212	**N**	F		EM	75096	61071	70071	75044
302 213	**N**	F		PB	75097	61072	70072	75060
302 216	**N**	F	*LS*	EM	75100	61075	70075	75063
302 218	**N**	F		PB	75191	61077	70077	75065
302 219	**N**	F	*LS*	EM	75192	61078	70078	75066
302 220	**N**	F		PB	75193	61079	70079	75067
302 221	**N**	F		PB	75194	61080	70080	75068
302 222	**N**	F		PB	75195	61081	70081	75069
302 224	**N**	F		PB	75197	61083	70083	75071
302 225	**N**	F	*LS*	EM	75198	61084	70084	75072
302 226	**N**	F	*LS*	EM	75199	61085	70085	75073
302 227	**N**	F	*LS*	EM	75325	61193	70193	75250
302 228	**N**	F	*LS*	EM	75201	61087	70087	75075
302 229	**N**	F		PB	75202	61088	70088	75076
302 230	**N**	F	*LS*	EM	75205	61089	70091	75079

CLASS 303

DTSO–MBSO–BDTSO. Sliding doors.
Bogies: Gresley.
Gangways: Gangwayed within units only (non-gangwayed*).
Traction Motors: Four MV 155 kW.
Dimensions: 19.50 x 2.82 m (outer cars), 19.36 x 2.82 m (inner cars).
Maximum Speed: 75 m.p.h.

Class 303/0. Unrefurbished set*.

DTSO. Dia. EE206. –/83. 34.4 t.
MBSO. Dia. ED201. –/70. 56.4 t.
BDTSO. Dia. EF202. –/83. 38.4 t.

Non-standard Livery: Original Glasgow 'blue train' livery.
Note: 75752 carries "75758" and 75808 carries "75814"

Class 303/1. Refurbished with 2+2 seating and hopper-type window vents.

DTSO. Dia. EE241. –/56. 34.4 t.
MBSO. Dia. ED220. –/48. 56.4 t.
BDTSO. Dia. EF217. –/56. 38.4 t.

75566–75599. DTSO. Lot No. 30579 Pressed Steel 1959–60.
75747–75801. DTSO. Lot No. 30629 Pressed Steel 1960–61.
61481–61514. MBSO. Lot No. 30580 Pressed Steel 1959–60.
61813–61867. MBSO. Lot No. 30630 Pressed Steel 1960–61.
75601–75635. BDTSO. Lot No. 30581 Pressed Steel 1959–60.
75803–75857. BDTSO. Lot No. 30631 Pressed Steel 1960–61.

303 001	**S**	A	*SR*	GW	75566	61481	75601
303 003	**S**	A	*SR*	GW	75568	61483	75603
303 004	**S**	A	*SR*	GW	75569	61484	75604
303 006	**S**	A	*SR*	GW	75571	61486	75606
303 008	**S**	A	*SR*	GW	75573	61488	75608
303 009	**S**	A	*SR*	GW	75574	61489	75609
303 010	**S**	A	*SR*	GW	75575	61490	75610
303 011	**S**	A	*SR*	GW	75576	61491	75611
303 012	**S**	A	*SR*	GW	75577	61492	75612
303 013	**S**	A	*SR*	GW	75578	61493	75613
303 014	**S**	A	*SR*	GW	75579	61494	75614
303 016	**S**	A	*SR*	GW	75750	61496	75616
303 019	**CC**	A	*SR*	GW	75584	61499	75619
303 020	**S**	A	*SR*	GW	75585	61500	75620
303 021	**CC**	A	*SR*	GW	75586	61501	75621
303 023	**CC**	A	*SR*	GW	75588	61503	75623
303 024	**S**	A	*SR*	GW	75589	61504	75624
303 025	**S**	A	*SR*	GW	75590	61505	75625
303 027	**S**	A	*SR*	GW	75592	61507	75627
303 028	**S**	A	*SR*	GW	75600	61508	75635
303 032	**S**	A	*SR*	GW	75597	61512	75632
303 033	**S**	A	*SR*	GW	75595	61860	75817

303 034		**S**	A	*SR*	GW	75599	61514	75634
303 037		**CC**	A	*SR*	GW	75781	61813	75803
303 040		**S**	A	*SR*	GW	75581	61816	75806
303 043		**S**	A	*SR*	GW	75572	61819	75809
303 045		**S**	A	*SR*	GW	75755	61821	75811
303 047		**S**	A	*SR*	GW	75757	61823	75813
303 048	*	**0**	A	*SR*	GW (S)	75752	61824	75808
303 054		**S**	A	*SR*	GW	75764	61830	75820
303 055		**S**	A	*SR*	GW	75765	61831	75821
303 056		**S**	A	*SR*	GW	75766	61832	75822
303 058		**S**	A	*SR*	GW	75768	61834	75824
303 061		**S**	A	*SR*	GW	75771	61837	75827
303 065		**S**	A	*SR*	GW	75775	61841	75831
303 070		**S**	A	*SR*	GW	75780	61846	75836
303 077		**S**	A	*SR*	GW	75787	61853	75843
303 079		**S**	A	*SR*	GW	75789	61855	75845
303 080		**S**	A	*SR*	GW	75790	61856	75846
303 083		**S**	A	*SR*	GW	75793	61859	75849
303 085		**S**	A	*SR*	GW	75795	61861	75851
303 087		**CC**	A	*SR*	GW	75797	61863	75853
303 088		**S**	A	*SR*	GW	75798	61864	75854
303 089		**S**	A	*SR*	GW	75799	61865	75855
303 090		**S**	A	*SR*	GW	75800	61866	75856
303 091		**S**	A	*SR*	GW	75801	61867	75857

CLASS 305/2

BDTCOL (declassified)–MBSO–TSOL–DTSO or BDTCOL (declassified)–MBSO–DTSO. All remaining units refurbished with fluorescent lighting and new seats.
Bogies: Gresley.
Gangways: Originally non-gangwayed, but now gangwayed within unit.
Traction Motors: Four GEC WT380 of 153 kW.
Dimensions: 19.53 x 2.82 m (outer cars), 19.36 x 2.82 m (inner cars).
Maximum Speed: 75 m.p.h.

BDTCOL. Dia. EF304. Lot No. 30566 York/Doncaster 1960.24/52 1T. 36.5 t.
MBSO. Dia. ED216. Lot No. 30567 York/Doncaster 1960. –/76. 56.5 t.
TSOL. Dia. EH223. Lot No. 30568 York/Doncaster 1960. –/86 1T. 31.5 t.
DTSO. Dia. EE220. Lot No. 30569 York/Doncaster 1960. –/88. 32.7 t.

305 501	**RR**	A	*SR*	GW	75424	61410	70356	75443
305 502	**RR**	A	*SR*	GW	75425	61411	70357	75444
305 503	**GM**	A	*NW*	LG (U)	75426	61412		75445
305 506	**GM**	A	*NW*	LG (U)	75429	61415		75448
305 507	**RR**	A	*NW*	LG (U)	75430	61416		75449
305 508	**RR**	A	*SR*	GW	75431	61417	70363	75450
305 510	**GM**	A	*NW*	LG	75433	61419		75452
305 511	**GM**	A	*NW*	LG	75434	61420		75453
305 515	**GM**	A	*NW*	LG (U)	75438	61424		75457
305 516	**GM**	A	*NW*	LG (U)	75439	61425		75458

305 517	**RR**	A	*SR*	GW	75440	61426	70372	75459
305 518	**RR**	A		LG	75441	61427		75460
305 519	**RR**	A	*SR*	GW	75442	61428	70374	75461
Spare	**RR**	A		LG		61418		

CLASS 308

BDTCOL (declassified)–MBSO–TSOL–DTSO. Refurbished with new seats and fluorescent lighting. Originally 4-car units, but all TSOL now withdrawn.
Bogies: Gresley.
Gangways: Originally non-gangwayed, but now gangwayed within unit.
Traction Motors: Four English Electric 536A of 143.5 kW.
Dimensions: 19.36 x 2.82 m (outer cars), 19.35 x 2.82 m (inner cars).
Maximum Speed: 75 m.p.h.

75879–75886. BDTCOL. Dia. EF304. Lot No. 30652 York 1961. 24/52 1T. 36.3 t.
75897–75919. BDTCOL. Dia. EF304. Lot No. 30656 York 1961. 24/52 1T. 36.3 t.
61884–61891. MBSO. Dia. ED216. Lot No. 30653 York 1961. –/76. 55.0 t.
61893–61915. MBSO. Dia. ED216. Lot No. 30657 York 1961. –/76. 55.0 t.
75888–75895. DTSO. Dia. EE220. Lot No. 30655 York 1961. –/88. 33 t.
75930–75952. DTSO. Dia. EE220. Lot No. 30659 York 1961. –/88. 33 t.

308 134	**Y**	A	*NE*	NL	75879	61884	75888
308 136	**Y**	A	*NE*	NL	75881	61886	75890
308 137	**Y**	A	*NE*	NL	75882	61887	75891
308 138	**Y**	A	*NE*	NL	75883	61888	75892
308 141	**Y**	A	*NE*	NL	75886	61891	75895
308 143	**Y**	A	*NE*	NL	75897	61893	75930
308 144	**Y**	A	*NE*	NL	75880	61894	75931
308 145	**Y**	A	*NE*	NL	75899	61895	75932
308 147	**Y**	A	*NE*	NL	75901	61897	75934
308 152	**Y**	A	*NE*	NL	75913	61902	75939
308 153	**Y**	A	*NE*	NL	75907	61903	75940
308 154	**Y**	A	*NE*	NL	75908	61904	75941
308 155	**Y**	A	*NE*	NL	75909	61905	75942
308 157	**Y**	A	*NE*	NL	75915	61907	75944
308 158	**Y**	A	*NE*	NL	75912	61908	75945
308 159	**Y**	A	*NE*	NL	75906	61909	75946
308 161	**Y**	A	*NE*	NL	75911	61911	75948
308 162	**Y**	A	*NE*	NL	75916	61912	75949
308 163	**Y**	A	*NE*	NL	75917	61913	75950
308 164	**Y**	A	*NE*	NL	75918	61914	75951
308 165	**Y**	A	*NE*	NL	75919	61915	75952

CLASS 309/1 CLACTON EXPRESS STOCK

DMBSO(T)–TSOL–TCsoL–BDTSOL. Built 1962–3 as 2 car units. Made up to four cars by the conversion of loco-hauled stock in 1973. All now refurbished with fluorescent lighting, hopper ventilators and new seating.
Bogies: Commonwealth.

Gangways: Throughout.
Traction Motors: Four GEC of 210 kW.
Dimensions: 19.76 x 2.82 m (outer cars), 19.67 x 2.82 m (inner cars).
Maximum Speed: 100 m.p.h.

DMBSO(T). Dia. EB206. Lot No. 30684 York 1962–63. –/44. 60 t.
TSOL. Dia. EH227. Lot No. 30871 Wolverton 1973–74. –/64 2T. 35 t.
TCsoL. Dia. EH309. Lot No. 30872 Wolverton 1973–74. 24/28 1T. 36 t.
BDTSOL. Dia. EF213. Lot No. 30683 York 1960–62. 60S 1T. 40 t.

309 605	**N**	A	LM	61944	71108	71113	75988
309 606	**N**	A	LM	61945	71109	71112	75989

Former numbers of converted hauled stock:

71108 (26189) | 71109 (26196) | 71112 (16249) | 71113 (16244)

CLASS 309/2 CLACTON EXPRESS STOCK

BDTCsoL–MBSOL(T)–TSO–DTSOL. Built 1962–3. Units 309 613–309 617 formerly contained griddle cars, but these were withdrawn and their place was taken by the conversion of loco-hauled TSOs on refurbishment. All refurbished with fluorescent lighting, hopper ventilators and new seating.
Bogies: Commonwealth.
Gangways: Throughout.
Traction Motors: Four GEC of 210 kW.
Dimensions: 19.76 x 2.82 m (outer cars), 19.67 x 2.82 m (inner cars).
Maximum Speed: 100 m.p.h.

75639–44. BDTCsoL. Dia. EF301. Lot No. 30679 York 1962. 18/32 2T. 40 t.
75965. BDTCsoL. Dia. EF213. Lot No. 30675 York 1962. 18/32 2T. 40 t.
61927–31. MBSOL(T). Dia. ED209. Lot No. 30676 York 1962. –/44 2T. 58 t.
61934–38. MBSOL(T). Dia. ED209. Lot No. 30680 York 1962. –/44 2T. 58 t.
70256–59. TSO. Dia. EH229. Lot No. 30677 York 1962. –/68 35 t.
71756–60. TSO. Dia. EH228. Lot No. 31001 Wolverton 1984–87. –/68. 35 t.
75972–75. DTSOL. Dia. EF213. Lot No. 30678 York 1962. –/56 2T 37 t.
75978–82. DTSOL. Dia. EF213. Lot No. 30682 York 1962–1963. –/56 2T. 37 t.

Non-standard Livery: 309 624 is in Manchester Airport Air Express Livery (blue & white).

309 613	p	**RN**	A	*NW*	LG	75639	61934	71756	75978
309 616	p	**RN**	A	*NW*	LG	75642	61937	71759	75981
309 617	p	**RN**	A	*NW*	LG	75643	61938	71760	75982
309 623		**RN**	A	*NW*	LG	75641	61927	71758	75980
309 624		**0**	A	*NW*	LG	75965	61928	70256	75972
309 627		**RN**	A	*NW*	LG	75644	61931	70259	75975

Former numbers of converted hauled stock:

71756 (5068) | 71758 (5058) | 71759 (5062) | 71760 (5056)

CLASS 310

Disc brakes. All facelifted with new panels.
Bogies: B4.
Gangways: Within unit.
Traction Motors: Four EE546 of 201.5 kW.
Dimensions: 19.86 x 2.82 m (outer cars), 19.93 x 2.82 m (inner cars).
Maximum Speed: 75 m.p.h.

BDTSOL. Dia. EF211. Lot No. 30745 Derby 1965–67. –/80 2T. 37.3 t.
76228. BDTSOL. Formerly a DTCOL to Lot 30748. Dia. EF210. Seats –/68 2T.
76998. BDTSOL. Rebuilt from TSO 70756 to Lot 30747. Dia. EF214. Seats –/75 2T.
MBSO. Dia. ED219. Lot No. 30746 Derby 1965–67. –/68. 57.2 t.
TSO. Dia. EH232. Lot No. 30747 Derby 1965–67. –/98. 31.7 t.
DTCOL (310/0). Dia. EE306. Lot No. 30748 Derby 1965–67. 25/43 2T. 34.4 t.
DTSOL (310/1). Dia. EE237. Lot No. 30748 Derby 1965–67. –/75 2T. 34.4 t.

Class 310/0. BDTSOL–MBSO–TSO–DTCOL (declassified).

310 046	**N**	F	*LS*	EM	76130	62071	70731	76180
310 047	**N**	F	*LS*	EM	76131	62072	70732	76181
310 049	**N**	F	*LS*	EM	76133	62074	70734	76183
310 050	**N**	F	*LS*	EM	76134	62075	70735	76184
310 051	**N**	F	*LS*	EM	76135	62076	70736	76185
310 052	**N**	F	*LS*	EM	76136	62077	70737	76186
310 057	**N**	F	*LS*	EM	76141	62082	70742	76191
310 058	**N**	F	*LS*	EM	76142	62083	70743	76192
310 059	**N**	F	*LS*	EM	76143	62084	70744	76205
310 060	**N**	F	*LS*	EM	76144	62085	70745	76194
310 064	**N**	F	*LS*	EM	76148	62089	70749	76198
310 066	**N**	F	*LS*	EM	76228	62091	70751	76200
310 067	**N**	F	*LS*	EM	76151	62092	70752	76201
310 068	**N**	F	*LS*	EM	76152	62093	70753	76202
310 069	**N**	F	*LS*	EM	76153	62094	70754	76203
310 070	**N**	F	*LS*	EM	76154	62095	70755	76204
310 074	**N**	F	*LS*	EM	76145	62099	70759	76208
310 075	**N**	F	*LS*	EM	76159	62100	70760	76209
310 077	**N**	F	*LS*	EM	76161	62102	70762	76211
310 079	**N**	F	*LS*	EM	76163	62104	70764	76222
310 080	**N**	F	*LS*	EM	76164	62105	70765	76214
310 081	**N**	F	*LS*	EM	76165	62106	70766	76215
310 082	**N**	F	*LS*	EM	76166	62107	70767	76216
310 083	**N**	F	*LS*	EM	76167	62108	70768	76217
310 084	**N**	F	*LS*	EM	76168	62109	70769	76218
310 085	**N**	F	*LS*	EM	76169	62110	70770	76219
310 086	**N**	F	*LS*	EM	76170	62111	70771	76220
310 087	**N**	F	*LS*	EM	76171	62112	70772	76221
310 088	**N**	F	*LS*	EM	76172	62113	70773	76213
310 089	**N**	F	*LS*	EM	76173	62114	70774	76223
310 091	**N**	F	*LS*	EM	76175	62116	70776	76225

310 092	**N**	F	*LS*	EM	76176	62117	70777	76226
310 093	**N**	F	*LS*	EM	76177	62118	70778	76190
310 094	**N**	F	*LS*	EM	76998	62119	70780	76193
310 095	**N**	F	*LS*	EM	76179	62120	70779	76228

Name: Set 310 058 is named "Chafford Hundred".

Class 310/1. BDTSOL–MBSO–DTSOL (DTCOL (declassified*).

310 101	**RR**	F	*CT*	BY	76157	62098	76207
310 102	**RR**	F	*CT*	BY	76139	62080	76189
310 103	**RR**	F	*CT*	BY	76160	62101	76210
310 104	**RR**	F	*CT*	BY	76162	62103	76212
310 105	**RR**	F	*CT*	BY	76174	62115	76224
310 106	**RR**	F	*CT*	BY	76156	62097	76206
310 107	**RR**	F	*CT*	BY	76146	62087	76196
310 108	**RR**	F	*CT*	BY	76132	62073	76182
310 109	**RR**	F	*CT*	BY	76137	62078	76187
310 110	**RR**	F	*CT*	BY	76138	62079	76188
310 111	**RR**	F	*CT*	BY	76147	62088	76197
310 112 *	**RR**	F	*CT*	BY	76140	62086	76227
310 113 *	**RR**	F	*CT*	BY	76158	62090	76195

Spare TSO

70733	F	Kineton	70757	F	Kineton	70763	F	Kineton
70747	F	Kineton	70761	F	ZN	70775	F	ZN
70748	F	Kineton						

CLASS 312

BDTSOL–MBSO–TSO–DTCOL (declassified*). Disc brakes.
Bogies: B4.
Gangways: Within unit.
Traction Motors: Four EE546 of 201.5 kW.
Dimensions: 19.86 x 2.82 m (outer cars), 19.93 x 2.82 m (inner cars).
Maximum Speed: 90 m.p.h.

Class 312/0. Standard design.

76994–97 BDTSOL. Dia. EF213. Lot No. 30891 York 1976. –/84 1T. 34.9 t.
62657–60 MBSO. Dia. ED214. Lot No. 30892 York 1976. –/68. 56 t.
71277–80 TSO. Dia. EH209. Lot No. 30893 York 1976. –/98. 30.5 t.
78045–48 DTCOL. Dia. EE305. Lot No. 30894 York 1976. 25/47 2T.
76949–74 BDTSOL. Dia. EF213. Lot No. 30863 York 1977–78. –/84 1T. 34.9 t.
62484–509 MBSO. Dia. ED212. Lot No. 30864 York 1977–78. –/68. 56 t.
71168–93 TSO. Dia. EH209. Lot No. 30865 York 1977–78. –/98. 30.5 t.
78000–25 DTCOL. Dia. EE305. Lot No. 30866 York 1977–78. 25/47 2T.

312 701	**N**	A	*GE*	IL	76949	62484	71168	78000
312 702	**N**	A	*GE*	IL	76950	62485	71169	78001
312 703	**N**	A	*GE*	IL	76951	62486	71170	78002
312 704	**GE**	A	*GE*	IL	76952	62487	71171	78003
312 705	**GE**	A	*GE*	IL	76953	62488	71172	78004

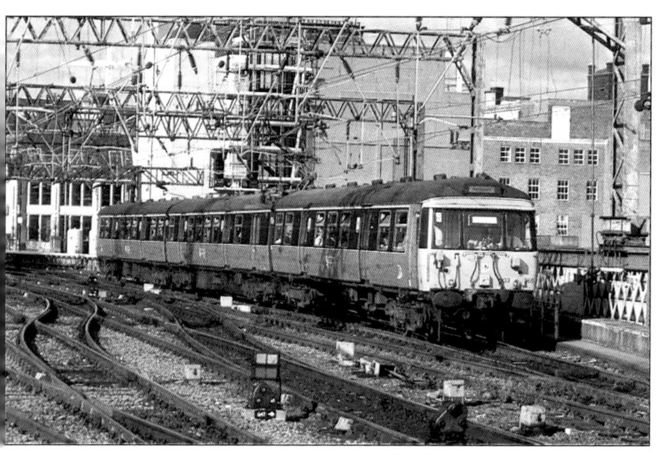

▲ Strathclyde PTE liveried Class 303 No. 303 065 departs from Glasgow Central with a service for Neilson on 29th August 1996. **Colin J. Marsden**

▼ A Greater Manchester PTE liveried Class 305 No. 305 506 approaches Dinting Crossing with the 15.08 Hadfield–Manchester Piccadilly. The date is 24th September 1997, shortly before the Hatfield/Glossop branches went over to Class 323 operation. **Nic Joynson**

▲ Class 308 No. 308 153, in West Yorkshire PTE livery, leaves Skipton as the 17.43 to Leeds on 17th August 1996. **Dave McAlone**

▼ North West Regional Railways liveried Class 309 'Clacton' unit No. 309 617 passes Slindon, Staffordshire on 25th July 1997 as the 19.06 Birmingham New Street–Manchester Piccadilly. **Hugh Ballantyne**

▲ Class 310 No. 310 087, in Network SouthEast livery, passes Shadwell on 2nd September 1997 with the 11.30 London Fenchurch Street–Shoeburyness. The line on the left is used by Docklands Light Railway cars. **Kevin Conkey**

▼ Displaying the new Great Eastern livery to good effect, Class 312 No. 312 706 crosses the River Stour at Manningtree with a Harwich Town–Ipswich service on 12th November 1997. **John A. Day**

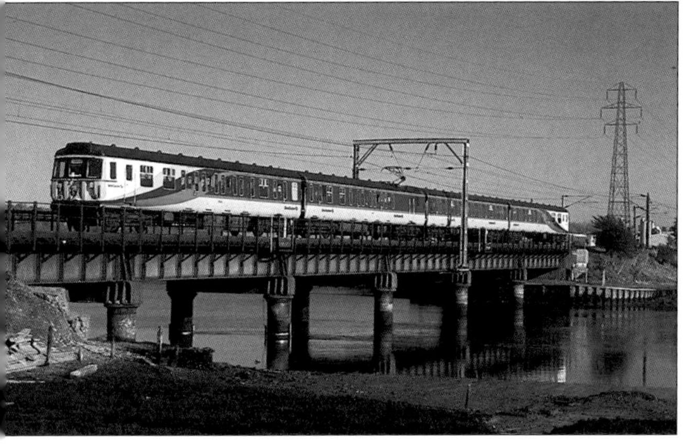

▲ Silverlink liveried Class 313 No. 313 134 at Watford Junction on 18th October 1997. **Kevin Conkey**

▼ The first unit to be painted into Great Eastern livery, Class 315 No. 315 809 at Shenfield during the livery launch on 15th April 1997. **Colin J. Marsden**

LTS Rail has created its own livery by painting the red stripe on some of its Network SouthEast liveried units light green. One of the units, Class 317 No. 317 301 is pictured here approaching Shadwell on 2nd September 1997 with the 10.05 London Fenchurch Street–Grays.

Kevin Conkey

▲ A southbound 'Thameslink' service approaches Coulsdon on 26th July 1996, formed by Class 319 No. 319 049. The unit carries the original Thameslink livery which has now been abandoned in favour of a new design. **Dave McAlone**

▼ Class 320 No 320 306, in carmine and cream livery, at Glasgow Central on 18th February 1997. This livery has now been adopted by Strathclyde PTE.
Colin J. Marsden

▲ Class 321 No. 321 444 at Ipswich with the 11.30 to London Liverpool Street on 7th July 1997. Slight differences can be seen between the Great Eastern livery carried on this class and that carried on Classes 312 and 315. **John A. Day**

▼ Stansted Skytrain liveried Class 322 No. 322 485 approaches Bethnal Green on 16th August 1997 with the 11.00 London Liverpool Street–Stansted service. **Kevin Conkey**

▲ Class 323 No. 323 233, in North Western Trains livery, arrives ECS at Manchester Piccadilly on 27th October 1997 prior to working the 11.43 to Glossop.
Peter Fox

▼ Heathrow Express Class 332 Nos. 332 003 and 332 004 at Old Oak Common on 23rd June 1997.
Colin J. Marsden

312 706		**GE**	A	*GE*	IL	76954	62489	71173	78005
312 707		**N**	A	*GE*	IL	76955	62490	71174	78006
312 708		**N**	A	*GE*	IL	76956	62491	71175	78007
312 709		**N**	A	*GE*	IL	76957	62492	71176	78008
312 710		**N**	A	*GE*	IL	76958	62493	71177	78009
312 711		**N**	A	*GE*	IL	76959	62494	71178	78010
312 712		**N**	A	*GE*	IL	76960	62495	71179	78011
312 713		**N**	A	*GE*	IL	76961	62496	71180	78012
312 714		**N**	A	*GE*	IL	76962	62497	71181	78013
312 715		**N**	A	*GE*	IL	76963	62498	71182	78014
312 716		**N**	A	*GE*	IL	76964	62499	71183	78015
312 717		**N**	A	*GE*	IL	76965	62500	71184	78016
312 718		**N**	A	*GE*	IL	76966	62501	71185	78017
312 719		**N**	A	*GE*	IL	76967	62502	71186	78018
312 720		**N**	A	*GE*	IL	76968	62503	71187	78019
312 721		**N**	A	*GE*	IL	76969	62504	71188	78020
312 722		**N**	A	*GE*	IL	76970	62505	71189	78021
312 723		**N**	A	*GE*	IL	76971	62506	71190	78022
312 724		**N**	A	*GE*	IL	76972	62507	71191	78023
312 725	*	**RR**	A	*CT*	TS (S)	76973	62509	71193	78025
312 726	*	**RR**	A	*CT*	TS (S)	76974	62508	71192	78024
312 727	*	**RR**	A	*CT*	TS (S)	76994	62657	71277	78045
312 728	*	**RR**	A	*CT*	TS (S)	76995	62658	71278	78046
312 729	*	**N**	A	*LS*	EM	76996	62659	71279	78047
312 730	*	**N**	A	*LS*	EM	76997	62660	71280	78048

Class 312/1. Can also operate on 6.25 kV a.c. overhead.

BDTSOL. Dia. EF213. Lot No. 30867 York 1975–76. –/84 2T. 34.9 t.
MBSO. Dia. ED213. Lot No. 30868 York 1975–76. –/68. 56 t.
TSO. Dia. EH209. Lot No. 30869 York 1975–76. –/98. 30.5 t.
DTCOL. Dia. EE305. Lot No. 30870 York 1975–76. 25/47 2T.

312 781	*	**N**	A	*LS*	EM	76975	62510	71194	78026
312 782	*	**N**	A	*LS*	EM	76976	62511	71195	78027
312 783	*	**N**	A	*LS*	EM	76977	62512	71196	78028
312 784	*	**N**	A	*LS*	EM	76978	62513	71197	78029
312 785	*	**N**	A	*LS*	EM	76979	62514	71198	78030
312 786	*	**N**	A	*LS*	EM	76980	62515	71199	78031
312 787	*	**N**	A	*LS*	EM	76981	62516	71200	78032
312 788	*	**N**	A	*LS*	EM	76982	62517	71201	78033
312 789	*	**N**	A	*LS*	EM	76983	62518	71202	78034
312 790	*	**N**	A	*LS*	EM	76984	62519	71203	78035
312 791	*	**N**	A	*LS*	EM	76985	62520	71204	78036
312 792	*	**N**	A	*LS*	EM	76986	62521	71205	78037
312 793	*	**N**	A	*LS*	EM	76987	62522	71206	78038
312 794	*	**N**	A	*LS*	EM	76988	62523	71207	78039
312 795	*	**N**	A	*LS*	EM	76989	62524	71208	78040
312 796	*	**N**	A	*LS*	EM	76990	62525	71209	78041
312 797	*	**N**	A	*LS*	EM	76991	62526	71210	78042
312 798	*	**N**	A	*LS*	EM	76992	62527	71211	78043
312 799	*	**N**	A	*LS*	EM	76993	62528	71212	78044

CLASS 313

DMSO–PTSO–BDMSO. Tightlock couplers. Sliding doors. Disc and rheo-
static
brakes.
System: 25 kV a.c. overhead/750 V d.c. third rail.
Bogies: BX1.
Gangways: Within unit. End doors.
Traction Motors: Four GEC G310AZ of 82.125 kW.
Dimensions: 19.80 x 2.82 m (outer cars), 19.92 x 2.82 m (inner cars).
Maximum Speed: 75 m.p.h.

DMSO. Dia. EA204. Lot No. 30879 York 1976–77. –/74. 36.4 t.
PTSO. Dia. EH210. Lot No. 30880 York 1976–77. –/84. 30.5 t.
BDMSO. Dia. EI201. Lot No. 30885 York 1976–77. –/74. 37.6 t.

Class 313/0. Standard Design.

313 018	**N**	F	*WN*	HE	62546	71230	62610
313 024	**N**	F	*WN*	HE	62552	71236	62616
313 025	**N**	F	*WN*	HE	62553	71237	62617
313 026	**N**	F	*WN*	HE	62554	71238	62618
313 027	**N**	F	*WN*	HE	62555	71239	62619
313 028	**N**	F	*WN*	HE	62556	71240	62620
313 029	**N**	F	*WN*	HE	62557	71241	62621
313 030	**N**	F	*WN*	HE	62558	71242	62622
313 031	**N**	F	*WN*	HE	62559	71243	62623
313 032	**N**	F	*WN*	HE	62560	71244	62624
313 033	**N**	F	*WN*	HE	62561	71245	62625
313 035	**N**	F	*WN*	HE	62563	71247	62627
313 036	**N**	F	*WN*	HE	62564	71248	62628
313 037	**N**	F	*WN*	HE	62565	71249	62629
313 038	**N**	F	*WN*	HE	62566	71250	62630
313 039	**N**	F	*WN*	HE	62567	71251	62631
313 040	**N**	F	*WN*	HE	62568	71252	62632
313 041	**N**	F	*WN*	HE	62569	71253	62633
313 042	**N**	F	*WN*	HE	62570	71254	62634
313 043	**N**	F	*WN*	HE	62571	71255	62635
313 044	**N**	F	*WN*	HE	62572	71256	62636
313 045	**N**	F	*WN*	HE	62573	71257	62637
313 046	**N**	F	*WN*	HE	62574	71258	62638
313 047	**N**	F	*WN*	HE	62575	71259	62639
313 048	**N**	F	*WN*	HE	62576	71260	62640
313 049	**N**	F	*WN*	HE	62577	71261	62641
313 050	**N**	F	*WN*	HE	62578	71262	62649
313 051	**N**	F	*WN*	HE	62579	71263	62643
313 052	**N**	F	*WN*	HE	62580	71264	62644
313 053	**N**	F	*WN*	HE	62581	71265	62645
313 054	**N**	F	*WN*	HE	62582	71266	62646
313 055	**N**	F	*WN*	HE	62583	71267	62647
313 056	**N**	F	*WN*	HE	62584	71268	62648

313 057	**N**	F	*WN*	HE	62585	71269	62642
313 058	**N**	F	*WN*	HE	62586	71270	62650
313 059	**N**	F	*WN*	HE	62587	71271	62651
313 060	**N**	F	*WN*	HE	62588	71272	62652
313 061	**N**	F	*WN*	HE	62589	71273	62653
313 062	**N**	F	*WN*	HE	62590	71274	62654
313 063	**N**	F	*WN*	HE	62591	71275	62655
313 064	**N**	F	*WN*	HE	62592	71276	62656

Class 313/1. Extra shoegear for Silverlink services.
Note: These sets are being renumbered as they are modernised.

	(313 001)	**N**	F	*SL*	BY	62529	71213	62593
	(313 002)	**N**	F	*SL*	BY	62530	71214	62594
	(313 003)	**N**	F	*SL*	BY	62531	71215	62595
	(313 004)	**N**	F	*SL*	BY	62532	71216	62596
	(313 005)	**N**	F	*SL*	BY	62533	71217	62597
	(313 006)	**N**	F	*SL*	BY	62534	71218	62598
	(313 007)	**N**	F	*SL*	BY	62535	71219	62599
	(313 008)	**N**	F	*SL*	BY	62536	71220	62600
	(313 009)	**N**	F	*SL*	BY	62537	71221	62601
	(313 010)	**N**	F	*SL*	BY	62538	71222	62602
	(313 011)	**N**	F	*SL*	BY	62539	71223	62603
	(313 012)	**N**	F	*SL*	BY	62540	71224	62604
	(313 013)	**N**	F	*SL*	BY	62541	71225	62605
	(313 014)	**N**	F	*SL*	BY	62542	71226	62606
	(313 015)	**N**	F	*SL*	BY	62543	71227	62607
	(313 016)	**N**	F	*SL*	BY	62544	71228	62608
	(313 017)	**N**	F	*SL*	BY	62545	71229	62609
	(313 019)	**N**	F	*SL*	BY	62547	71231	62611
	(313 020)	**N**	F	*SL*	BY	62548	71232	62612
313 121	(313 021)	**SL**	F	*SL*	BY	62549	71233	62613
313 122	(313 022)	**N**	F	*SL*	BY	62550	71234	62614
313 123	(313 023)	**SL**	F	*SL*	BY	62551	71235	62615
313 134	(313 034)	**SL**	F	*SL*	BY	62562	71246	62626

Name: PTSO 71232 of 313 020 is named 'PARLIAMENT HILL'.

CLASS 314

DMSO–PTSO–DMSO. Thyristor control. Tightlock couplers. Sliding doors. Disc and rheostatic brakes.
Bogies: BX1.
Gangways: Within unit. End doors.
Traction Motors: Four GEC G310AZ (Brush TM61-53*) of 82.125 kW.
Dimensions: 19.80 x 2.82 m (outer cars), 19.92 x 2.82 m (inner cars).
Maximum Speed: 75 m.p.h.

64583–64614. DMSO. Dia. EA206. Lot No. 30912 York 1979. –/68. 34.5 t.
64588II. DMSO. Dia. EA207. Lot No. 30908 York 1978–80. –/74. 35.63 t. Converted from Class 507 No. 64426. The original 64588 has been scrapped. This vehicle has an experimental seating layout.

PTSO. Dia. EH211. Lot No. 30913 York 1979. –/76. 33.0 t.

314 201	*	**S**	A	*SR*	GW	64583	71450	64584
314 202	*	**S**	A	*SR*	GW	64585	71451	64586
314 203	*	**S**	A	*SR*	GW	64587	71452	64588"
314 204	*	**S**	A	*SR*	GW	64589	71453	64590
314 205	*	**S**	A	*SR*	GW	64591	71454	64592
314 206	*	**S**	A	*SR*	GW	64593	71455	64594
314 207		**CC**	A	*SR*	GW	64595	71456	64596
314 208		**S**	A	*SR*	GW	64597	71457	64598
314 209		**S**	A	*SR*	GW	64599	71458	64600
314 210		**S**	A	*SR*	GW	64601	71459	64602
314 211		**S**	A	*SR*	GW	64603	71460	64604
314 212		**S**	A	*SR*	GW	64605	71461	64606
314 213		**S**	A	*SR*	GW	64607	71462	64608
314 214		**S**	A	*SR*	GW	64609	71463	64610
314 215		**CC**	A	*SR*	GW	64611	71464	64612
314 216		**S**	A	*SR*	GW	64613	71465	64614

Name: PTSO 71452 of 314 203 is named 'European Union'.

CLASS 315

DMSO–TSO–PTSO–DMSO. Thyristor control. Tightlock couplers. Sliding doors.
Disc and rheostatic brakes.
Bogies: BX1.
Gangways: Within unit. End doors.
Traction Motors: Four Brush TM61-53 (GEC G310AZ*) of 82.125 kW.
Dimensions: 19.80 x 2.82 m (outer cars), 19.92 x 2.82 m (inner cars).
Maximum Speed: 75 m.p.h.

64461–64582. DMSO. Dia. EA207. Lot No. 30902 York 1980–81. –/74. 35 t.
71281–71341. TSO. Dia. EH216. Lot No. 30904 York 1980–81. –/86. 25.5 t.
71389–71449. PTSO. Dia. EH217. Lot No. 30903 York 1980–81. –/84. 32 t.

315 801	**N**	F	*GE*	IL	64461	71281	71389	64462
315 802	**GE**	F	*GE*	IL	64463	71282	71390	64464
315 803	**GE**	F	*GE*	IL	64465	71283	71391	64466
315 804	**GE**	F	*GE*	IL	64467	71284	71392	64468
315 805	**N**	F	*GE*	IL	64469	71285	71393	64470
315 806	**GE**	F	*GE*	IL	64471	71286	71394	64472
315 807	**GE**	F	*GE*	IL	64473	71287	71395	64474
315 808	**N**	F	*GE*	IL	64475	71288	71396	64476
315 809	**GE**	F	*GE*	IL	64477	71289	71397	64478
315 810	**GE**	F	*GE*	IL	64479	71290	71398	64480
315 811	**N**	F	*GE*	IL	64481	71291	71399	64482
315 812	**GE**	F	*GE*	IL	64483	71292	71400	64484
315 813	**GE**	F	*GE*	IL	64485	71293	71401	64486
315 814	**N**	F	*GE*	IL	64487	71294	71402	64488
315 815	**GE**	F	*GE*	IL	64489	71295	71403	64490
315 816	**GE**	F	*GE*	IL	64491	71296	71404	64492

315 817		**N**	F	*GE*	IL	64493	71297	71405	64494
315 818		**N**	F	*GE*	IL	64495	71298	71406	64496
315 819		**N**	F	*GE*	IL	64497	71299	71407	64498
315 820		**N**	F	*GE*	IL	64499	71300	71408	64500
315 821		**N**	F	*GE*	IL	64501	71301	71409	64502
315 822		**N**	F	*GE*	IL	64503	71302	71410	64504
315 823		**N**	F	*GE*	IL	64505	71303	71411	64506
315 824		**N**	F	*GE*	IL	64507	71304	71412	64508
315 825		**N**	F	*GE*	IL	64509	71305	71413	64510
315 826		**N**	F	*GE*	IL	64511	71306	71414	64512
315 827		**N**	F	*GE*	IL	64513	71307	71415	64514
315 828		**N**	F	*GE*	IL	64515	71308	71416	64516
315 829		**N**	F	*GE*	IL	64517	71309	71417	64518
315 830		**N**	F	*GE*	IL	64519	71310	71418	64520
315 831		**N**	F	*GE*	IL	64521	71311	71419	64522
315 832		**N**	F	*GE*	IL	64523	71312	71420	64524
315 833		**N**	F	*GE*	IL	64525	71313	71421	64526
315 834		**N**	F	*GE*	IL	64527	71314	71422	64528
315 835		**N**	F	*GE*	IL	64529	71315	71423	64530
315 836		**N**	F	*GE*	IL	64531	71316	71424	64532
315 837		**N**	F	*GE*	IL	64533	71317	71425	64534
315 838		**N**	F	*GE*	IL	64535	71318	71426	64536
315 839		**N**	F	*GE*	IL	64537	71319	71427	64538
315 840		**N**	F	*GE*	IL	64539	71320	71428	64540
315 841		**N**	F	*GE*	IL	64541	71321	71429	64542
315 842	*	**N**	F	*GE*	IL	64543	71322	71430	64544
315 843	*	**N**	F	*GE*	IL	64545	71323	71431	64546
315 844	*	**N**	F	*GE*	IL	64547	71324	71432	64548
315 845	*	**N**	F	*GE*	IL	64549	71325	71433	64550
315 846	*	**N**	F	*WN*	HE	64551	71326	71434	64552
315 847	*	**N**	F	*WN*	HE	64553	71327	71435	64554
315 848	*	**N**	F	*WN*	HE	64555	71328	71436	64556
315 849	*	**N**	F	*WN*	HE	64557	71329	71437	64558
315 850	*	**N**	F	*WN*	HE	64559	71330	71438	64560
315 851	*	**N**	F	*WN*	HE	64561	71331	71439	64562
315 852	*	**N**	F	*WN*	HE	64563	71332	71440	64564
315 853	*	**N**	F	*WN*	HE	64565	71333	71441	64566
315 854	*	**N**	F	*WN*	HE	64567	71334	71442	64568
315 855	*	**N**	F	*WN*	HE	64569	71335	71443	64570
315 856	*	**N**	F	*WN*	HE	64571	71336	71444	64572
315 857	*	**N**	F	*WN*	HE	64573	71337	71445	64574
315 858	*	**N**	F	*WN*	HE	64575	71338	71446	64576
315 859	*	**N**	F	*WN*	HE	64577	71339	71447	64578
315 860	*	**N**	F	*WN*	HE	64579	71340	71448	64580
315 861	*	**N**	F	*WN*	HE	64581	71341	71449	64582

CLASS 317

DTSO(A)–MSO–TCOL (declassified*)–DTSO(B). Thyristor control. Tightlock couplers. Sliding doors. Disc brakes.

Bogies: BP20 (MSO), BT13 (others).
Gangways: Throughout.
Traction Motors: Four GEC G315BZ of 247.5 kW.
Dimensions: 19.83 x 2.82 m (outer cars), 19.92 x 2.82 m (inner cars).
Maximum Speed: 100 m.p.h.

Class 317/1. Pressure ventilated.

DTSO(A) Dia. EE216. Lot No. 30955 York 1981–82. –/74. 29.44 t.
MSO. Dia. EC202. Lot No. 30958 York 1981–82. –/79. 49.76 t.
TCOL. Dia. EH307. Lot No. 30957 Derby 1981–82. 22/46 2T. 28.80 t. Controlled emission toilets (but decommisioned).
DTSO(B) Dia. EE235 (EE232†). Lot No. 30956 York 1981–82. –/70. (–/71†). 29.28 t.

317 301	*	**LS**	A	*LS*	EM	77024	62661	71577	77048
317 302	*	**LS**	A	*LS*	EM	77001	62662	71578	77049
317 303	*	**N**	A	*LS*	HE	77002	62663	71579	77050
317 304	*	**N**	A	*LS*	EM	77003	62664	71580	77051
317 305	*	**N**	A	*LS*	EM	77004	62665	71581	77052
317 306	*	**N**	A	*LS*	EM	77005	62666	71582	77053
317 307	*	**LS**	A	*LS*	EM	77006	62667	71583	77054
317 308	*	**LS**	A	*LS*	EM	77007	62668	71584	77055
317 309	*	**N**	A	*WN*	HE	77008	62669	71585	77056
317 310	*	**LS**	A	*LS*	EM	77009	62670	71586	77057
317 311	*	**LS**	A	*LS*	EM	77010	62671	71587	77058
317 312	*	**LS**	A	*LS*	EM	77011	62672	71588	77059
317 313	*	**LS**	A	*LS*	EM	77012	62673	71589	77060
317 314	*	**LS**	A	*LS*	EM	77013	62674	71590	77061
317 315	*	**N**	A	*LS*	EM	77014	62675	71591	77062
317 316	*	**N**	A	*LS*	EM	77015	62676	71592	77063
317 317	*	**LS**	A	*LS*	EM	77016	62677	71593	77064
317 318	*	**N**	A	*LS*	EM	77017	62678	71594	77065
317 319	*	**LS**	A	*LS*	EM	77018	62679	71595	77066
317 320	*	**N**	A	*LS*	EM	77019	62680	71596	77067
317 321	*	**N**	A	*LS*	EM	77020	62681	71597	77068
317 322	*	**N**	A	*LS*	EM	77021	62682	71598	77069
317 323	*	**N**	A	*LS*	EM	77022	62683	71599	77070
317 324	*	**N**	A	*LS*	EM	77023	62684	71600	77071
317 325	*	**N**	A	*LS*	EM	77000	62685	71601	77072
317 326	*	**N**	A	*LS*	EM	77025	62686	71602	77073
317 327	*	**N**	A	*LS*	EM	77026	62687	71603	77074
317 328	*	**N**	A	*LS*	EM	77027	62688	71604	77075
317 329	*	**LS**	A	*LS*	EM	77028	62689	71605	77076
317 330	*	**N**	A	*LS*	EM	77029	62690	71606	77077
317 331	*	**N**	A	*LS*	EM	77030	62691	71607	77078
317 332	*	**LS**	A	*LS*	EM	77031	62692	71608	77079
317 333		**N**	A	*WN*	HE	77032	62693	71609	77080
317 334		**N**	A	*WN*	HE	77033	62694	71610	77081
317 335		**N**	A	*WN*	HE	77034	62695	71611	77082
317 336		**N**	A	*WN*	HE	77035	62696	71612	77083
317 337	†	**N**	A	*WN*	HE	77036	62697	71613	77084

317 338	†	**N**	A	*WN*	HE	77037	62698	71614	77085
317 339	†	**N**	A	*WN*	HE	77038	62699	71615	77086
317 340	†	**N**	A	*WN*	HE	77039	62700	71616	77087
317 341	†	**N**	A	*WN*	HE	77040	62701	71617	77088
317 342	†	**N**	A	*WN*	HE	77041	62702	71618	77089
317 343	†	**N**	A	*WN*	HE	77042	62703	71619	77090
317 344	†	**N**	A	*WN*	HE	77043	62704	71620	77091
317 345	†	**N**	A	*WN*	HE	77044	62705	71621	77092
317 346	†	**N**	A	*WN*	HE	77045	62706	71622	77093
317 347	†	**N**	A	*WN*	HE	77046	62707	71623	77094
317 348	†	**N**	A	*WN*	HE	77047	62708	71624	77095

Class 317/2. Convection heating.

77200–19. DTSO(A). Dia. EE224. Lot No. 30994 York 1985–86. –/74. 29.31 t.
77280–83. DTSO(A). Dia. EE224. Lot No. 31007 York 1987. –/74. 29.31 t.
62846–65. MSO.Dia. EC205. Lot No. 30996 York 1985–86. –/79. 50.08 t.
62886–89. MSO. Dia. EC205. Lot No. 31009 York 1987. –/79. 50.08 t.
71734–53. TCOL. Dia. EH308. Lot No. 30997 Yk 1985–86. 22/46 2T. 28.28 t.
71762–65. TCOL. Dia. EH308. Lot No. 31010 York 1987. 22/46 2T. 28.28 t.
77220–39. DTSO(B). Dia. EE225. Lot No. 30995 York 1985–86. 29.28 t. –/71.
77284–87. DTSO(B). Dia. EE225. Lot No. 31008 York 1987. 29.28 t. –/71.

317 349	**N**	A	*WN*	HE	77200	62846	71734	77220
317 350	**N**	A	*WN*	HE	77201	62847	71735	77221
317 351	**N**	A	*WN*	HE	77202	62848	71736	77222
317 352	**N**	A	*WN*	HE	77203	62849	71739	77223
317 353	**N**	A	*WN*	HE	77204	62850	71738	77224
317 354	**N**	A	*WN*	HE	77205	62851	71737	77225
317 355	**N**	A	*WN*	HE	77206	62852	71740	77226
317 356	**N**	A	*WN*	HE	77207	62853	71742	77227
317 357	**N**	A	*WN*	HE	77208	62854	71741	77228
317 358	**N**	A	*WN*	HE	77209	62855	71743	77229
317 359	**N**	A	*WN*	HE	77210	62856	71744	77230
317 360	**N**	A	*WN*	HE	77211	62857	71745	77231
317 361	**N**	A	*WN*	HE	77212	62858	71746	77232
317 362	**N**	A	*WN*	HE	77213	62859	71747	77233
317 363	**N**	A	*WN*	HE	77214	62860	71748	77234
317 364	**N**	A	*WN*	HE	77215	62861	71749	77235
317 365	**N**	A	*WN*	HE	77216	62862	71750	77236
317 366	**N**	A	*WN*	HE	77217	62863	71752	77237
317 367	**N**	A	*WN*	HE	77218	62864	71751	77238
317 368	**N**	A	*WN*	HE	77219	62865	71753	77239
317 369	**N**	A	*WN*	HE	77280	62886	71762	77284
317 370	**N**	A	*WN*	HE	77281	62887	71763	77285
317 371	**N**	A	*WN*	HE	77282	62888	71764	77286
317 372	**N**	A	*WN*	HE	77283	62889	71765	77287

Names:

TCOL No. 71735 of set 317 350 is named 'HARLOW 50 years 1947–1997'.
TCOL No. 71746 of set 317 361 is named 'Kings Lynn Festival'.
TCOL No. 71752 of set 317 366 is named 'Letchworth Garden City'.

TCOL No. 71764 of set 317 371 is named 'Stevenage new town 50 years 1946–1996'.
TCOL No. 71765 of set 317 372 is named 'Welwyn Garden City'.

CLASS 318

DTSOL–MSO–DTSO. Thyristor control. Tightlock couplers. Sliding doors. Disc brakes.
Bogies: BP20 (MSO), BT13 (others).
Gangways: Throughout.
Traction Motors: Four Brush TM 2141 of 268 kW.
Dimensions: 19.83 x 2.82 m (outer cars), 19.92 x 2.82 m (inner cars).
Maximum Speed: 90 m.p.h.

77240–59. DTSOL. Dia. EE227. Lot No. 30999 York 1985–86. –/66 1T. 30.01 t.
77288. DTSOL. Dia. EE227. Lot No. 31020 York 1986–87. –/66 1T. 30.01 t.
62866–85. MSO. Dia. EC207. Lot No. 30998 York 1985–86. –/79. 50.90 t.
62890. MSO. Dia. EC207. Lot No. 31019 York 1987. –/79. 50.90 t.
77260–79. DTSO. Dia. EE228. Lot No. 31000 York 1985–86. –/71. 26.60 t.
77289. DTSO. Dia. EE228. Lot No. 31021 York 1987. –/71. 26.60 t.

318 250	**S**	F	*SR*	GW	77260	62866	77240
318 251	**S**	F	*SR*	GW	77261	62867	77241
318 252	**S**	F	*SR*	GW	77262	62868	77242
318 253	**S**	F	*SR*	GW	77263	62869	77243
318 254	**S**	F	*SR*	GW	77264	62870	77244
318 255	**S**	F	*SR*	GW	77265	62871	77245
318 256	**S**	F	*SR*	GW	77266	62872	77246
318 257	**S**	F	*SR*	GW	77267	62873	77247
318 258	**S**	F	*SR*	GW	77268	62874	77248
318 259	**S**	F	*SR*	GW	77269	62875	77249
318 260	**S**	F	*SR*	GW	77270	62876	77250
318 261	**S**	F	*SR*	GW	77271	62877	77251
318 262	**S**	F	*SR*	GW	77272	62878	77252
318 263	**S**	F	*SR*	GW	77273	62879	77253
318 264	**S**	F	*SR*	GW	77274	62880	77254
318 265	**S**	F	*SR*	GW	77275	62881	77255
318 266	**S**	F	*SR*	GW	77276	62882	77256
318 267	**S**	F	*SR*	GW	77277	62883	77257
318 268	**S**	F	*SR*	GW	77278	62884	77258
318 269	**S**	F	*SR*	GW	77279	62885	77259
318 270	**S**	F	*SR*	GW	77289	62890	77288

Names:

DTSOL No. 77240 of set 318 250 is named 'GEOFF SHAW'.
DTSOL No. 77256 of set 318 260 is named 'STRATHCLYDER'.

CLASS 319

Thyristor control. Tightlock couplers. Sliding doors. Disc brakes.

;ystem: 25 kV a.c. overhead/750 V d.c. third rail.
ogies: P7-4 (MSO), T3-7 (others).
;angways: Within unit. End doors.
'raction Motors: Four GEC G315BZ of 268 kW.
imensions: 19.83 x 2.82 m (outer cars), 19.92 x 2.82 m (inner cars).
laximum Speed: 100 m.p.h.

:lass 319/0. DTSO–MSO–TSOL–DTSO.

TSO. Dia. EE233. Lot No. 31022 (odd nos.) York 1987–8. –/82. 30.12 t.
ISO. Dia. EC209. Lot No. 31023 York 1987–8. –/82. 51 t.
'SOL. Dia. EH234. Lot No. 31024 York 1987–8. –/77 2T. 51 t.
TSO. Dia. EE234. Lot No. 31025 (even nos.) York 1987–8. –/78. 30 t.

19 001	**CX**	P	*SC*	SU	77291	62891	71772	77290
19 002	**CX**	P	*SC*	SU	77293	62892	71773	77292
19 003	**CX**	P	*SC*	SU	77295	62893	71774	77294
19 004	**CX**	P	*SC*	SU	77297	62894	71775	77296
19 005	**CX**	P	*SC*	SU	77299	62895	71776	77298
19 006	**CX**	P	*SC*	SU	77301	62896	71777	77300
19 007	**CX**	P	*SC*	SU	77303	62897	71778	77302
19 008	**CX**	P	*SC*	SU	77305	62898	71779	77304
19 009	**CX**	P	*SC*	SU	77307	62899	71780	77306
19 010	**CX**	P	*SC*	SU	77309	62900	71781	77308
19 011	**CX**	P	*SC*	SU	77311	62901	71782	77310
19 012	**CX**	P	*SC*	SU	77313	62902	71783	77312
19 013	**CX**	P	*SC*	SU	77315	62903	71784	77314

lames:

1776 of 319 005 is named 'Partnership For Progress'.
1779 of 319 008 is named 'Cheriton'.
1780 of 319 009 is named 'Coquelles'.

:lass 319/2. Units converted from Class 319/0 for Connex express services 'om London to Brighton. DTSO–MSO–TSOL–DTCO.

TSO. Dia. EE244. Lot No. 31022 (odd nos.) York 1987–8. –/64. 30.2 t.
ISO. Dia. EN262. Lot No. 31023 York 1987–8. –/60 (including 12 seats in a ;nug under the pantograph area. External sliding doors sealed adjacent to ıis area. 5 t.
SOL. Dia. EH212. Lot No. 31024 York 1987–8. –/52 1T 1TD. 34 t.
TCO. Dia. EE374. Lot No. 31025 (even nos.) York 1987–8. 18/36. 30 t.

19 214	(319 014)	**CX**	P	*SC*	SU	77317	62904	71785	77316
19 215	(319 015)	**CX**	P	*SC*	SU	77319	62905	71786	77318
19 216	(319 016)	**CX**	P	*SC*	SU	77321	62906	71787	77320
19 217	(319 017)	**CX**	P	*SC*	SU	77323	62907	71788	77322
19 218	(319 018)	**CX**	P	*SC*	SU	77325	62908	71789	77324
19 219	(319 019)	**CX**	P	*SC*	SU	77327	62909	71790	77326
19 220	(319 020)	**CX**	P	*SC*	SU	77329	62910	71791	77328

lames:

SOL 71786 of set 319 215 is named 'London'.
SOL 71788 of set 319 217 is named 'Brighton'.

TSOL 71789 of set 319 218 is named 'Croydon'.

Class 319/1. DTCO–MSO–TSOL–DTSO.
Class 319/3. Units converted from Class 319/1 by replacing first class sets with standard class seats. DTSO (A)–MSO–TSOL–DTSO(B).

DTCO. Dia. EE310. Lot No. 31063 York 1990. 16/54. 29 t.
DTSO(A). Dia. EE2??. Lot No. 31063 York 1990. –/77. 29 t.
MSO. Dia. EC214. Lot No. 31064 York 1990. –/79. 50.6 t.
TSOL. Dia. EH238. Lot No. 31065 York 1990. –/74 2T. 31 t.
DTSO(B). Dia. EE240. Lot No. 31066 York 1990. –/78. 29.7 t.

	(319 161)	**NW**	P	*TL*	SU	77459	63043	71929	77458
	(319 162)	**NW**	P	*TL*	SU	77461	63044	71930	77460
319 363	(319 163)	**TN**	P	*TL*	SU	77463	63045	71931	77462
	(319 164)	**S**	P	*TL*	SU	77465	63046	71932	77464
	(319 165)	**NW**	P	*TL*	SU	77467	63047	71933	77466
	(319 166)	**NW**	P	*TL*	SU	77469	63048	71934	77468
	(319 167)	**NW**	P	*TL*	SU	77471	63049	71935	77470
319 368	(319 168)	**TN**	P	*TL*	SU	77473	63050	71936	77772
	(319 169)	**NW**	P	*TL*	SU	77475	63051	71937	77474
	(319 170)	**NW**	P	*TL*	SU	77477	63052	71938	77476
	(319 171)	**NW**	P	*TL*	SU	77479	63053	71939	77478
	(319 172)	**NW**	P	*TL*	SU	77481	63054	71940	77480
	(319 173)	**NW**	P	*TL*	SU	77483	63055	71941	77482
	(319 174)	**NW**	P	*TL*	SU	77485	63056	71942	77484
	(319 175)	**NW**	P	*TL*	SU	77487	63057	71943	77486
	(319 176)	**NW**	P	*TL*	SU	77489	63058	71944	77488
	(319 177)	**NW**	P	*TL*	SU	77491	63059	71945	77490
	(319 178)	**NW**	P	*TL*	SU	77493	63060	71946	77492
	(319 179)	**NW**	P	*TL*	SU	77495	63061	71947	77494
	(319 380)	**NW**	P	*TL*	SU	77497	63062	71948	77496
	(319 181)	**NW**	P	*TL*	SU	77973	63093	71979	77974
	(319 182)	**NW**	P	*TL*	SU	77975	63094	71970	77576
319 383	(319 183)	**TN**	P	*TL*	SU	77977	63095	71971	77578
	(319 184)	**NW**	P	*TL*	SU	77979	63096	71972	77580
319 385	(319 185)	**TN**	P	*TL*	SU	77981	63097	71973	77582
	(319 186)	**NW**	P	*TL*	SU	77983	63098	71974	77584

Class 319/4. Units converted from Class 319/0. Refurbished with carpets DTSO(A) converted to composite. DTCO–MSO–TSOL–DTSO(B).
77331–381. DTCO. Dia. EE233. Lot No. 31022 (odd nos.) York 1987–8. 12/54 30.12 t.
77431–457. DTCO. Dia. EE233. Lot No. 31038 (odd nos.) York 1988. 12/54 30.12 t.
62911–936. MSO. Dia. EC209. Lot No. 31023 York 1987–8. –/77. 51 t.
62961–974. MSO. Dia. EC209. Lot No. 31039 York 1988. –/77. 51 t.
71792–817. TSOL. Dia. EH234. Lot No. 31024 York 1987–8. –/72 2T. 51 t.
71866–879. TSOL. Dia. EH234. Lot No. 31040 York 1988. –/72 2T. 51 t.
77330–380. DTSO. Dia. EE234. Lot No. 31025 (even nos.) York 1987–8. –/74 30 t.
77430–456. DTSO. Dia. EE234. Lot No. 31041 (even nos.) York 1988. –/74. 30

319 421	(319 021)	**TN**	P	*TL*	SU	77331	62911	71792	77330
	(319 022)	**TL**	P	*TL*	SU	77333	62912	71793	77332
	(319 023)	**N**	P	*TL*	SU	77335	62913	71794	77334
	(319 024)	**N**	P	*TL*	SU	77337	62914	71795	77336
	(319 025)	**N**	P	*TL*	SU	77339	62915	71796	77338
	(319 026)	**N**	P	*TL*	SU	77341	62916	71797	77340
	(319 027)	**N**	P	*TL*	SU	77343	62917	71798	77342
	(319 028)	**N**	P	*TL*	SU	77345	62918	71799	77344
319 429	(319 029)	**TN**	P	*TL*	SU	77347	62919	71800	77346
	(319 030)	**TL**	P	*TL*	SU	77349	62920	71801	77348
	(319 031)	**TL**	P	*TL*	SU	77351	62921	71802	77350
	(319 032)	**TL**	P	*TL*	SU	77353	62922	71803	77352
	(319 033)	**TL**	P	*TL*	SU	77355	62923	71804	77354
	(319 034)	**TL**	P	*TL*	SU	77357	62924	71805	77356
	(319 035)	**TL**	P	*TL*	SU	77359	62925	71806	77358
	(319 036)	**TL**	P	*TL*	SU	77361	62926	71807	77360
	(319 037)	**TL**	P	*TL*	SU	77363	62927	71808	77362
	(319 038)	**TL**	P	*TL*	SU	77365	62928	71809	77364
319 439	(319 039)	**TN**	P	*TL*	SU	77367	62929	71810	77366
	(319 040)	**TL**	P	*TL*	SU	77369	62930	71811	77368
	(319 041)	**TL**	P	*TL*	SU	77371	62931	71812	77370
	(319 042)	**TL**	P	*TL*	SU	77373	62932	71813	77372
	(319 043)	**TL**	P	*TL*	SU	77375	62933	71814	77374
	(319 044)	**TL**	P	*TL*	SU	77377	62934	71815	77376
	(319 045)	**TL**	P	*TL*	SU	77379	62935	71816	77378
	(319 046)	**TL**	P	*TL*	SU	77381	62936	71817	77380
	(319 047)	**TL**	P	*TL*	SU	77431	62961	71866	77430
	(319 048)	**TL**	P	*TL*	SU	77433	62962	71867	77432
	(319 049)	**TL**	P	*TL*	SU	77435	62963	71868	77434
	(319 050)	**TL**	P	*TL*	SU	77437	62964	71869	77436
	(319 051)	**TL**	P	*TL*	SU	77439	62965	71870	77438
	(319 052)	**TL**	P	*TL*	SU	77441	62966	71871	77440
	(319 053)	**TL**	P	*TL*	SU	77443	62967	71872	77442
	(319 054)	**TL**	P	*TL*	SU	77445	62968	71873	77444
	(319 055)	**TL**	P	*TL*	SU	77447	62969	71874	77446
	(319 056)	**TL**	P	*TL*	SU	77449	62970	71875	77448
	(319 057)	**TL**	P	*TL*	SU	77451	62971	71876	77450
	(319 058)	**TL**	P	*TL*	SU	77453	62972	71877	77452
	(319 059)	**TL**	P	*TL*	SU	77455	62973	71878	77454
19 460	(319 060)	**TN**	P	*TL*	SU	77457	62974	71879	77456

Names:

SOL 71801 of set 319 030 is named 'Harlington Festival'.
SOL 71874 of set 319 055 is named 'Brixton Challenge'.

CLASS 320

TSO–MSO–DTSO. Thyristor control. Tightlock couplers. Sliding doors. Disc brakes.
Bogies: P7-4 (MSO), T3-7 (others).

Gangways: Within unit.
Traction Motors: Brush TM2141B of 268 kW.
Dimensions: 19.83 x 2.82 m (outer cars), 19.92 x 2.82 m (inner car).
Maximum Speed: 75 m.p.h.

DTSO (A). Dia. EE238. Lot No. 31060 York 1990. –/77. 30.7 t.
MSO. Dia. EC212. Lot No. 31062 York 1990. –/77. 52.1 t.
DTSO (B). Dia. EE239. Lot No. 31061 York 1990. –/76 31.7 t.

320 301	**S**	F	*SR*	GW	77899	63021	77921
320 302	**S**	F	*SR*	GW	77900	63022	77922
320 303	**S**	F	*SR*	GW	77901	63023	77923
320 304	**S**	F	*SR*	GW	77902	63024	77924
320 305	**S**	F	*SR*	GW	77903	63025	77925
320 306	**CC**	F	*SR*	GW	77904	63026	77926
320 307	**CC**	F	*SR*	GW	77905	63027	77927
320 308	**CC**	F	*SR*	GW	77906	63028	77928
320 309	**CC**	F	*SR*	GW	77907	63029	77929
320 310	**CC**	F	*SR*	GW	77908	63030	77930
320 311	**CC**	F	*SR*	GW	77909	63031	77931
320 312	**CC**	F	*SR*	GW	77910	63032	77932
320 313	**CC**	F	*SR*	GW	77911	63033	77933
320 314	**CC**	F	*SR*	GW	77912	63034	77934
320 315	**CC**	F	*SR*	GW	77913	63035	77935
320 316	**CC**	F	*SR*	GW	77914	63036	77936
320 317	**CC**	F	*SR*	GW	77915	63037	77937
320 318	**S**	F	*SR*	GW	77916	63038	77938
320 319	**S**	F	*SR*	GW	77917	63039	77939
320 320	**CC**	F	*SR*	GW	77918	63040	77940
320 321	**CC**	F	*SR*	GW	77919	63041	77941
320 322	**S**	F	*SR*	GW	77920	63042	77942

Names:

MSO 63025 of set 320 305 is named 'GLASGOW SCHOOL OF ART'.
MSO 63026 of set 320 306 is named 'MODEL RAIL SCOTLAND'.
MSO 63041 of set 320 321 is named 'The Rt. Hon. John Smith, QC, MP'.
MSO 63042 of set 320 322 is named 'FESTIVE GLASGOW ORCHID'.

CLASS 321

DTCO (DTSO on Class 321/9)–MSO–TSOL–DTSO. Thyristor control. Tightloc couplers. Sliding doors. Disc brakes.
Bogies: P7-4 (MSO), T3-7 (others).
Gangways: Within unit.
Traction Motors: Brush TM2141C (268 kW).
Dimensions: 19.83 x 2.82 m (outer cars), 19.92 x 2.82 m (inner cars).
Maximum Speed: 100 m.p.h.
Non-standard livery: NS (Netherlands Railways Inter-City livery (Yellow and deep blue).

Note: Lot numbers and diagrams were officially changed on 09/02/90.

Class 321/3. Units built for Liverpool Street workings.

DTCO. Dia. EE308. Lot No. 31053 York 1988–90. 12/56. 29.3 t.
MSO. Dia. EC210. Lot No. 31054 York 1988–90. –/79. 51.5 t.
TSOL. Dia. EH235. Lot No. 31055 York 1988–90. –/74 2T. 28 t.
DTSO. Dia. EE236. Lot No. 31056 York 1988–90. –/78. 29.1 t.

321 301	**NW**	F	*GE*	IL	78049	62975	71880	77853
321 302	**NW**	F	*GE*	IL	78050	62976	71881	77854
321 303	**NW**	F	*GE*	IL	78051	62977	71882	77855
321 304	**NW**	F	*GE*	IL	78052	62978	71883	77856
321 305	**NW**	F	*GE*	IL	78053	62979	71884	77857
321 306	**NW**	F	*GE*	IL	78054	62980	71885	77858
321 307	**NW**	F	*GE*	IL	78055	62981	71886	77859
321 308	**NW**	F	*GE*	IL	78056	62982	71887	77860
321 309	**NW**	F	*GE*	IL	78057	62983	71888	77861
321 310	**NW**	F	*GE*	IL	78058	62984	71889	77862
321 311	**NW**	F	*GE*	IL	78059	62985	71890	77863
321 312	**NW**	F	*GE*	IL	78060	62986	71891	77864
321 313	**NW**	F	*GE*	IL	78061	62987	71892	77865
321 314	**NW**	F	*GE*	IL	78062	62988	71893	77866
321 315	**NW**	F	*GE*	IL	78063	62989	71894	77867
321 316	**NW**	F	*GE*	IL	78064	62990	71895	77868
321 317	**NW**	F	*GE*	IL	78065	62991	71896	77869
321 318	**NW**	F	*GE*	IL	78066	62992	71897	77870
321 319	**NW**	F	*GE*	IL	78067	62993	71898	77871
321 320	**NW**	F	*GE*	IL	78068	62994	71899	77872
321 321	**GE**	F	*GE*	IL	78069	62995	71900	77873
321 322	**NW**	F	*GE*	IL	78070	62996	71901	77874
321 323	**NW**	F	*GE*	IL	78071	62997	71902	77875
321 324	**NW**	F	*GE*	IL	78072	62998	71903	77876
321 325	**NW**	F	*GE*	IL	78073	62999	71904	77877
321 326	**NW**	F	*GE*	IL	78074	63000	71905	77878
321 327	**NW**	F	*GE*	IL	78075	63001	71906	77879
321 328	**GE**	F	*GE*	IL	78076	63002	71907	77880
321 329	**NW**	F	*GE*	IL	78077	63003	71908	77881
321 330	**GE**	F	*GE*	IL	78078	63004	71909	77882
321 331	**NW**	F	*GE*	IL	78079	63005	71910	77883
321 332	**NW**	F	*GE*	IL	78080	63006	71911	77884
321 333	**NW**	F	*GE*	IL	78081	63007	71912	77885
321 334	**0**	F	*GE*	IL	78082	63008	71913	77886
321 335	**GE**	F	*GE*	IL	78083	63009	71914	77887
321 336	**NW**	F	*GE*	IL	78084	63010	71915	77888
321 337	**NW**	F	*GE*	IL	78085	63011	71916	77889
321 338	**NW**	F	*GE*	IL	78086	63012	71917	77890
321 339	**NW**	F	*GE*	IL	78087	63013	71918	77891
321 340	**GE**	F	*GE*	IL	78088	63014	71919	77892
321 341	**GE**	F	*GE*	IL	78089	63015	71920	77893
321 342	**NW**	F	*GE*	IL	78090	63016	71921	77894
321 343	**NW**	F	*GE*	IL	78091	63017	71922	77895
321 344	**NW**	F	*GE*	IL	78092	63018	71923	77896
321 345	**NW**	F	*GE*	IL	78093	63019	71924	77897

321 346	**NW**	F	*GE*	IL	78094	63020	71925	77898
321 347	**GE**	F	*GE*	IL	78131	63105	71991	78280
321 348	**NW**	F	*GE*	IL	78132	63106	71992	78281
321 349	**NW**	F	*GE*	IL	78133	63107	71993	78282
321 350	**GE**	F	*GE*	IL	78134	63108	71994	78283
321 351	**NW**	F	*GE*	IL	78135	63109	71995	78284
321 352	**NW**	F	*GE*	IL	78136	63110	71996	78285
321 353	**NW**	F	*GE*	IL	78137	63111	71997	78286
321 354	**NW**	F	*GE*	IL	78138	63112	71998	78287
321 355	**NW**	F	*GE*	IL	78139	63113	71999	78288
321 356	**NW**	F	*GE*	IL	78140	63114	72000	78289
321 357	**GE**	F	*GE*	IL	78141	63115	72001	78290
321 358	**NW**	F	*GE*	IL	78142	63116	72002	78291
321 359	**NW**	F	*GE*	IL	78143	63117	72003	78292
321 360	**NW**	F	*GE*	IL	78144	63118	72004	78293
321 361	**NW**	F	*GE*	IL	78145	63119	72005	78294
321 362	**NW**	F	*GE*	IL	78146	63120	72006	78295
321 363	**GE**	F	*GE*	IL	78147	63121	72007	78296
321 364	**GE**	F	*GE*	IL	78148	63122	72008	78297
321 365	**NW**	F	*GE*	IL	78149	63123	72009	78298
321 366	**NW**	F	*GE*	IL	78150	63124	72010	78299

Names:
TSOL No. 71891 of set 321 312 is named 'Southend-on-Sea'.
TSOL No. 71913 of set 321 334 is named 'Amsterdam'.
TSOL No. 71915 of set 321 336 is named 'Geoffrey Freeman Allen'.
TSOL No. 71995 of set 321 351 is named 'GURKHA'.

Class 321/4. Units built for WCML workings.

DTCO. Dia. EE309. Lot No. 31067 York 1989–90. 28/40. 29.3 t.
MSO. Dia. EC210. Lot No. 31068 York 1989–90. –/79. 51.5 t.
TSOL. Dia. EH235. Lot No. 31069 York 1989–90. –/74 2T. 28 t.
DTSO. Dia. EE236. Lot No. 31070 York 1989–90. –/78. 29.1 t.

Note: The DTCOs of sets allocated to IL have 12 first class seats declassifie

321 401	**NW**	F	*SL*	BY	78095	63063	71949	77943
321 402	**NW**	F	*SL*	BY	78096	63064	71950	77944
321 403	**NW**	F	*SL*	BY	78097	63065	71951	77945
321 404	**NW**	F	*SL*	BY	78098	63066	71952	77946
321 405	**NW**	F	*SL*	BY	78099	63067	71953	77947
321 406	**NW**	F	*SL*	BY	78100	63068	71954	77948
321 407	**NW**	F	*SL*	BY	78101	63069	71955	77949
321 408	**NW**	F	*SL*	BY	78102	63070	71956	77950
321 409	**NW**	F	*SL*	BY	78103	63071	71957	77951
321 410	**NW**	F	*SL*	BY	78104	63072	71958	77952
321 411	**NW**	F	*SL*	BY	78105	63073	71959	77953
321 412	**NW**	F	*SL*	BY	78106	63074	71960	77954
321 413	**NW**	F	*SL*	BY	78107	63075	71961	77955
321 414	**NW**	F	*SL*	BY	78108	63076	71962	77956
321 415	**NW**	F	*SL*	BY	78109	63077	71963	77957
321 416	**NW**	F	*SL*	BY	78110	63078	71964	77958

321 417	**NW**	F	*SL*	BY	78111	63079	71965	77959
321 418	**NW**	F	*SL*	BY	78112	63080	71968	77962
321 419	**NW**	F	*SL*	BY	78113	63081	71967	77961
321 420	**NW**	F		BY	78114	63082	71966	77960
321 421	**NW**	F	*SL*	BY	78115	63083	71969	77963
321 422	**NW**	F	*SL*	BY	78116	63084	71970	77964
321 423	**NW**	F	*SL*	BY	78117	63085	71971	77965
321 424	**NW**	F	*SL*	BY	78118	63086	71972	77966
321 425	**NW**	F	*SL*	BY	78119	63087	71973	77967
321 426	**NW**	F	*SL*	BY	78120	63088	71974	77968
321 427	**NW**	F	*SL*	BY	78121	63089	71975	77969
321 428	**SL**	F	*SL*	BY	78122	63090	71976	77970
321 429	**SL**	F	*SL*	BY	78123	63091	71977	77971
321 430	**NW**	F	*SL*	BY	78124	63092	71978	77972
321 431	**SL**	F	*SL*	BY	78151	63125	72011	78300
321 432	**SL**	F	*SL*	BY	78152	63126	72012	78301
321 433	**SL**	F	*SL*	BY	78153	63127	72013	78302
321 434	**NW**	F	*SL*	BY	78154	63128	72014	78303
321 435	**NW**	F	*SL*	BY	78155	63129	72015	78304
321 436	**NW**	F	*SL*	BY	78156	63130	72016	78305
321 437	**NW**	F	*SL*	BY	78157	63131	72017	78306
321 438	**NW**	F	*GE*	IL	78158	63132	72018	78307
321 439	**GE**	F	*GE*	IL	78159	63133	72019	78308
321 440	**NW**	F	*GE*	IL	78160	63134	72020	78309
321 441	**GE**	F	*GE*	IL	78161	63135	72021	78310
321 442	**NW**	F	*GE*	IL	78162	63136	72022	78311
321 443	**GE**	F	*GE*	IL	78125	63099	71985	78274
321 444	**GE**	F	*GE*	IL	78126	63100	71986	78275
321 445	**NW**	F	*GE*	IL	78127	63101	71987	78276
321 446	**NW**	F	*GE*	IL	78128	63102	71988	78277
321 447	**NW**	F	*GE*	IL	78129	63103	71989	78278
321 448	**NW**	F	*GE*	IL	78130	63104	71990	78279

Name: TSOL 71955 of set 321 407 is named 'HERTFORDSIRE WRVS'.

Class 321/9. Units owned by West Yorkshire PTE although managed by Porterbrook Leasing Company. DTSO(A)–MSO–TSOL–DTSO(B).

DTSO (A). Dia. EE277. Lot No. 31108 York 1991. –/77. 29.3 t.
MSO. Dia. EC216. Lot No. 31109 York 1991. –/79. 51.5 t.
TSOL. Dia. EH240. Lot No. 31110 York 1991. –/74 2T. 28 t.
DTSO (B). Dia. EE277. Lot No. 31111 York 1991. –/77. 29.1 t.

321 901	**Y**	P	*NE*	NL	77990	63153	72128	77993
321 902	**Y**	P	*NE*	NL	77991	63154	72129	77994
321 903	**Y**	P	*NE*	NL	77992	63155	72130	77995

CLASS 322

DTCO–MSO–TSOL–DTSO. Units built for use on Stansted Airport services. Thyristor control. Tightlock couplers. Sliding doors. Disc brakes.

Bogies: P7-4 (MSO), T3-7 (others).
Gangways: Within unit.
Traction Motors: Brush TM2141C (268 kW).
Dimensions: 19.83 x 2.82 m (outer cars), 19.92 x 2.82 m (inner cars).
Maximum Speed: 100 m.p.h.
Non-Standard Livery: Stansted Skytrain livery (grey with a yellow stripe).

DTCO. Dia. EE313. Lot No. 31094 York 1990. 35/22. 30.43 t.
MSO. Dia. EC215. Lot No. 31092 York 1990. –/70. 52.27 t.
TSOL. Dia. EH239. Lot No. 31093 York 1990. –/60 2T. 29.51 t.
DTSO. Dia. EE242. Lot No. 31091 York 1990. –/65. 29.77 t.

322 481	**0**	F	*WN*	HE	78163	63137	72023	77985
322 482	**0**	F	*WN*	HE	78164	63138	72024	77986
322 483	**0**	F	*WN*	HE	78165	63139	72025	77987
322 484	**0**	F	*WN*	HE	78166	63140	72026	77988
322 485	**0**	F	*WN*	HE	78167	63141	72027	77989

CLASS 323

DMSO(A)–TSOL–DMSO(B). Aluminium alloy bodies. Thyristor control. Tightlock couplers. Sliding doors. Disc brakes.
Bogies: RFS BP62 (motor cars) and BT52 (trailer car).
Gangways: Within unit.
Traction Motors: Four Holec DMKT 52/24 of 146 kW per car.
Dimensions: 23.37 x 2.80 m (motor cars), 23.44 x 2.80 m (trailer cars).
Maximum Speed: 90 m.p.h.

DMSO(A). Dia. EA272. Lot No. 31112 Hunslet 1992–3. –/98 (–/82*). 41.0 t.
TSOL. Dia. EH296. Lot No. 31113 Hunslet 1992–3. –/88 1T. (–/80 1T*). 23.37 t.
DMSO(B). Dia. EA272. Lot No. 31114 Hunslet 1992–3. –/98 (–/82*). 39.4t.

323 201	**CE**	P	*CT*	BY	64001	72201	65001
323 202	**CE**	P	*CT*	BY	64002	72202	65002
323 203	**CE**	P	*CT*	BY	64003	72203	65005
323 204	**CE**	P	*CT*	BY	64004	72204	65004
323 205	**CE**	P	*CT*	BY	64005	72205	65003
323 206	**CE**	P	*CT*	BY	64006	72206	65006
323 207	**CE**	P	*CT*	BY	64007	72207	65007
323 208	**CE**	P	*CT*	BY	64008	72208	65008
323 209	**CE**	P	*CT*	BY	64009	72209	65009
323 210	**CE**	P	*CT*	BY	64010	72210	65010
323 211	**CE**	P	*CT*	BY	64011	72211	65011
323 212	**CE**	P	*CT*	BY	64012	72212	65012
323 213	**CE**	P	*CT*	BY	64013	72213	65013
323 214	**CE**	P	*CT*	BY	64014	72214	65014
323 215	**CE**	P	*CT*	BY	64015	72215	65015
323 216	**CE**	P	*CT*	BY	64016	72216	65016
323 217	**CE**	P	*CT*	BY	64017	72217	65017
323 218	**CE**	P	*CT*	BY	64018	72218	65018
323 219	**CE**	P	*CT*	BY	64019	72219	65019
323 220	**CE**	P	*CT*	BY	64020	72220	65020

323 221		**CE**	P	*CT*	BY	64021	72221	65021
323 222		**CE**	P	*CT*	BY	64022	72222	65022
323 223	*	**GM**	P	*NW*	LG	64023	72223	65023
323 224	*	**GM**	P	*NW*	LG	64024	72224	65024
323 225	*	**GM**	P	*NW*	LG	64025	72225	65025
323 226		**GM**	P	*NW*	LG	64026	72226	65026
323 227		**GM**	P	*NW*	LG	64027	72227	65027
323 228		**GM**	P	*NW*	LG	64028	72228	65028
323 229		**GM**	P	*NW*	LG	64029	72229	65029
323 230		**GM**	P	*NW*	LG	64030	72230	65030
323 231		**GM**	P	*NW*	LG	64031	72231	65031
323 232		**GM**	P	*NW*	LG	64032	72232	65032
323 233		**NT**	P	*NW*	LG	64033	72233	65033
323 234		**GM**	P	*NW*	LG	64034	72234	65034
323 235		**GM**	P	*NW*	LG	64035	72235	65035
323 236		**GM**	P	*NW*	LG	64036	72236	65036
323 237		**GM**	P	*NW*	LG	64037	72237	65037
323 238		**GM**	P	*NW*	LG	64038	72238	65038
323 239		**GM**	P	*NW*	LG	64039	72239	65039
323 240		**CE**	P	*CT*	BY	64040	72240	65040
323 241		**CE**	P	*CT*	BY	64041	72241	65041
323 242		**CE**	P	*CT*	BY	64042	72242	65042
323 243		**CE**	P	*CT*	BY	64043	72243	65043

CLASS 325

DTPMV(A)–MPMV–TPMV–DTPMV(B). New postal units based on Class 319. Roller shutter doors and compatibility with diesel locomotive haulage. Disc brakes.
System: 25 kV a.c. overhead/750 V d.c. third rail.
Bogies: P7-4 (MSO), T3-7 (others).
Gangways: None.
Traction Motors: Four GEC G315BZ of 247.5 kW.
Dimensions: 19.83 x 2.82 m (outer cars), 19.92 x 2.82 m (inner cars).
Maximum Speed: 100 m.p.h.

68300–68330 (Even Nos.). DTPMV(A). Dia. EE501. Lot No. 31144 ABB Derby 1995.
MPMV. Dia. EC501. Lot No. 31145 ABB Derby 1995.
TPMV. Dia. EH501. Lot No. 31146 ABB Derby 1995.
68301–68331 (Odd Nos.). DTPMV(B). Dia. EE501. Lot No. 31144 ABB Derby 1995.

325 001	**RM**	R	*EW*	CE	68300	68340	68360	68301
325 002	**RM**	R	*EW*	CE	68302	68341	68361	68303
325 003	**RM**	R	*EW*	CE	68304	68342	68362	68305
325 004	**RM**	R	*EW*	CE	68306	68343	68363	68307
325 005	**RM**	R	*EW*	CE	68308	68344	68364	68309
325 006	**RM**	R	*EW*	CE	68310	68345	68365	68311
325 007	**RM**	R	*EW*	CE	68312	68346	68366	68313
325 008	**RM**	R	*EW*	CE	68314	68347	68367	68315

325 009	**RM**	R	*EW*	CE	68316	68348	68368	68317
325 010	**RM**	R	*EW*	CE	68318	68349	68369	68319
325 011	**RM**	R	*EW*	CE	68320	68350	68370	68321
325 012	**RM**	R	*EW*	CE	68322	68351	68371	68323
325 013	**RM**	R	*EW*	CE	68324	68352	68372	68325
325 014	**RM**	R	*EW*	CE	68326	68353	68373	68327
325 015	**RM**	R	*EW*	CE	68328	68354	68374	68329
325 016	**RM**	R	*EW*	CE	68330	68355	68375	68331

Name: 325 008 is named 'Peter Howarth C.B.E.'

CLASS 332 HEATHROW EXPRESS

DMCFO–PTSOL–TSO–DMSO* or DMSO–PTSOL–TSO–DMFO. Initially running as 3-car sets DMSO–TSO–DMSO. New units under construction for Heathrow Express service. Air conditioned. IGBT control. Tightlock couplers. Sliding doors. Disc brakes. Actual formations may be changed.
Bogies: CAF.
Gangways: Within unit.
Traction Motors: 4 CAF per motor car.
Dimensions: 23.00 m x . m.
Maximum Speed: 100 m.p.h.

DMCFO. CAF 1997–8. 14/– + wheelchair space. . t.
DMSO. CAF 1997–8. –/48 + 4 tip-up. . t.
PTSOL. CAF 1997–8. –/44 + 11 tip-up. . t.
TSO. CAF 1997–8. –/56 + 11 tip-up. . t.
DMFO. CAF 1997–8. 26/–. . t.

Note: Owing to an error by the procurement consultants, the motor cars of these units have numbers in the series normally used for driving trailers and the PTSOLs have numbers in the series normally used for motor cars.

332 001	**HE**	B	*HE*		78401	63400	72400	78400
332 002	**HE**	B	*HE*		78403	63401	72401	78402
332 003	**HE**	B	*HE*		78405	63402	72402	78404
332 004	**HE**	B	*HE*		78407	63403	72403	78406
332 005	**HE**	B	*HE*	OH	78409	63404	72404	78408
332 006	**HE**	B	*HE*	OH	78411	63405	72405	78410
332 007	**HE**	B	*HE*	OH	78413	63406	72406	78412
332 008	**HE**	B	*HE*	OH	78415	63407	72407	78414
332 009	**HE**	B	*HE*		78417	63408	72408	78416
332 010	**HE**	B	*HE*		78419	63409	72409	78418
332 011	**HE**	B	*HE*		78421	63410	72410	78420
332 012	**HE**	B	*HE*		78423	63411	72411	78422
332 013	**HE**	B	*HE*		78425	63412	72412	78424
332 014	**HE**	B	*HE*		78427	63413	72413	78426

CLASS 357 ADTRANZ ELECTROSTAR

DMSO(A)–PTSOL–MSO–DMSO(B). New units under construction for use on LTS Rail. Air conditioned. Aluminium bodies. IGBT control. Tightlock couplers. Sliding doors. Disc brakes. Regenerative braking. Provision for 750 V d.c. supply if required.
Bogies: ADtranz P3-25 (motor cars), T3-25 (trailer car).
Gangways: Within unit.
Traction Motors: Two of 250 kW each per motor car.
Dimensions: 20.75 m x 2.80 m (motor cars), 20.10 x 2.80 m (inner cars).
Maximum Speed: 100 m.p.h.

DMSO(A). Dia. EA . ADtranz Derby 1998–. –/71. . t.
PTSO. Dia. EH ADtranz Derby 1998–. –/62. . t.
MSOL. Dia. EH ADtranz Derby 1998–. –/78 . . t.
DMSO(B). Dia. EA ADtranz Derby 1998–. –/71 . t.

357 001	P	*LS*	67651	74051	74151	67751
357 002	P	*LS*	67652	74052	74152	67752
357 003	P	*LS*	67653	74053	74153	67753
357 004	P	*LS*	67654	74054	74154	67754
357 005	P	*LS*	67655	74055	74155	67755
357 006	P	*LS*	67656	74056	74156	67756
357 007	P	*LS*	67657	74057	74157	67757
357 008	P	*LS*	67658	74058	74158	67758
357 009	P	*LS*	67659	74059	74159	67759
357 010	P	*LS*	67660	74060	74160	67760
357 011	P	*LS*	67661	74061	74161	67761
357 012	P	*LS*	67662	74062	74162	67762
357 013	P	*LS*	67663	74063	74163	67763
357 014	P	*LS*	67664	74064	74164	67764
357 015	P	*LS*	67665	74065	74165	67765
357 016	P	*LS*	67666	74066	74166	67766
357 017	P	*LS*	67667	74067	74167	67767
357 018	P	*LS*	67668	74068	74168	67768
357 019	P	*LS*	67669	74069	74169	67769
357 020	P	*LS*	67670	74070	74170	67770
357 021	P	*LS*	67671	74071	74171	67771
357 022	P	*LS*	67672	74072	74172	67772
357 023	P	*LS*	67673	74073	74173	67773
357 024	P	*LS*	67674	74074	74174	67774
357 025	P	*LS*	67675	74075	74175	67775
357 026	P	*LS*	67676	74076	74176	67776
357 027	P	*LS*	67677	74077	74177	67777
357 028	P	*LS*	67678	74078	74178	67778
357 029	P	*LS*	67679	74079	74179	67779
357 030	P	*LS*	67680	74080	74180	67780
357 031	P	*LS*	67681	74081	74181	67781
357 032	P	*LS*	67682	74082	74182	67782
357 033	P	*LS*	67683	74083	74183	67783
357 034	P	*LS*	67684	74084	74184	67784

357 035	P	*LS*	67685	74085	74185	67785
357 036	P	*LS*	67686	74086	74186	67786
357 037	P	*LS*	67687	74087	74187	67787
357 038	P	*LS*	67688	74088	74188	67788
357 039	P	*LS*	67689	74089	74189	67789
357 040	P	*LS*	67690	74090	74190	67790
357 041	P	*LS*	67691	74091	74191	67791
357 042	P	*LS*	67692	74092	74192	67792
357 043	P	*LS*	67693	74093	74193	67793
357 044	P	*LS*	67694	74094	74194	67794

CLASS 365 NETWORKER EXPRESS

DMCO–TSOL–PTSOL–DMSO. New units with aluminium bodies. GTO thyristor control. Tightlock couplers. Sliding doors. Disc rheostatic and regenerative braking.
System: 25 kV a.c. overhead/750 V d.c. third rail.
Bogies: P7 (power cars), T3 (trailers).
Gangways: Within unit.
Traction Motors: Four Brush three-phase induction motors.
Dimensions: 20.89 x 2.81 m (outer cars), 20.06 x 2.81 m (inner cars).
Maximum Speed: 100 m.p.h.

DMCO. Dia. EA301. Lot No. 31133 ABB York 1994–5. 12/56. 46.7 t.
TSOL. Dia. EH298. Lot No. 31134 ABB York 1994–5. –/59 + 5 tip-up 1TD. 32.9 t.
PTSOL. Dia. EH298. Lot No. 31135 ABB York 1994–5. –/68 1T. 34.6 t.
DMSO. Dia. EA208. Lot No. 31136 ABB York 1994–5. –/72. 46 t.

365 501	**CN**	F	*SE*	RE	65894	72241	72240	65935
365 502	**CN**	F	*SE*	RE	65895	72243	72242	65936
365 503	**CN**	F	*SE*	RE	65896	72245	72244	65937
365 504	**CN**	F	*SE*	RE	65897	72247	72246	65938
365 505	**CN**	F	*SE*	RE	65898	72249	72248	65939
365 506	**CN**	F	*SE*	RE	65899	72251	72250	65940
365 507	**CN**	F	*SE*	RE	65900	72253	72252	65941
365 508	**CN**	F	*SE*	RE	65901	72255	72254	65942
365 509	**CN**	F	*SE*	RE	65902	72257	72256	65943
365 510	**CN**	F	*SE*	RE	65903	72259	72258	65944
365 511	**CN**	F	*SE*	RE	65904	72261	72260	65945
365 512	**CN**	F	*SE*	RE	65905	72263	72262	65946
365 513	**CN**	F	*SE*	RE	65906	72265	72264	65947
365 514	**CN**	F	*SE*	RE	65907	72267	72266	65948
365 515	**CN**	F	*SE*	RE	65908	72269	72268	65949
365 516	**CN**	F	*SE*	RE	65909	72271	72270	65950
365 517	**NW**	F	*WN*	HE	65910	72273	72272	65951
365 518	**NW**	F	*WN*	HE	65911	72275	72274	65952
365 519	**NW**	F	*WN*	HE	65912	72277	72276	65953
365 520	**NW**	F	*WN*	HE	65913	72279	72278	65954
365 521	**NW**	F	*WN*	HE	65914	72281	72280	65955
365 522	**NW**	F	*WN*	HE	65915	72283	72282	65956
365 523	**NW**	F	*WN*	HE	65916	72285	72284	65957

365 524	**NW**	F	*WN*	HE	65917	72287	72286	65958
365 525	**NW**	F	*WN*	HE	65918	72289	72288	65959
365 526	**NW**	F	*WN*	HE	65919	72291	72290	65960
365 527	**NW**	F	*WN*	HE	65920	72293	72292	65961
365 528	**NW**	F	*WN*	HE	65921	72295	72294	65962
365 529	**NW**	F	*WN*	HE	65922	72297	72296	65963
365 530	**NW**	F	*WN*	HE	65923	72299	72298	65964
365 531	**NW**	F	*WN*	HE	65924	72301	72300	65965
365 532	**NW**	F	*WN*	HE	65925	72303	72302	65966
365 533	**NW**	F	*WN*	HE	65926	72305	72304	65967
365 534	**NW**	F	*WN*	HE	65927	72307	72306	65968
365 535	**NW**	F	*WN*	HE	65928	72309	72308	65969
365 536	**NW**	F	*WN*	HE	65929	72311	72310	65970
365 537	**NW**	F	*WN*	HE	65930	72313	72312	65971
365 538	**NW**	F	*WN*	HE	65931	72315	72314	65972
365 539	**NW**	F	*WN*	HE	65932	72317	72316	65973
365 540	**NW**	F	*WN*	HE	65933	72319	72318	65974
365 541	**NW**	F	*WN*	HE	65934	72321	72320	65975

CLASS 375 ADTRANZ ELECTROSTAR

DMSO(A)–PTSOL–MSO–DMSO(B). New units under construction for use on Connex South Eastern. Air conditioned. Aluminium bodies. IGBT control. Tightlock couplers. Swing plug doors. Disc brakes. Regenerative braking. Full details not yet available.
System: 25 kV a.c. overhead/750 V d.c. third rail.
Bogies: .
Gangways: Throughout.
Traction Motors:
Dimensions:
Maximum Speed: 100 m.p.h.

DMSO(A). Dia. EA . ADtranz Derby 1998. . . t.
PTSOL. Dia. EH ADtranz Derby 1998. . . t.
MSO. Dia. EH ADtranz Derby 1998. . . t.
DMSO(B). Dia. EA ADtranz Derby 1998. . t.

375 001	CX	*SE*
375 002	CX	*SE*
375 003	CX	*SE*
375 004	CX	*SE*
375 005	CX	*SE*
375 006	CX	*SE*
375 007	CX	*SE*
375 008	CX	*SE*
375 009	CX	*SE*
375 010	CX	*SE*
375 011	CX	*SE*
375 012	CX	*SE*
375 013	CX	*SE*
375 014	CX	*SE*

375 015	CX	*SE*
375 016	CX	*SE*
375 017	CX	*SE*
375 018	CX	*SE*
375 019	CX	*SE*
375 020	CX	*SE*
375 021	CX	*SE*
375 022	CX	*SE*
375 023	CX	*SE*
375 024	CX	*SE*
375 025	CX	*SE*
375 026	CX	*SE*
375 027	CX	*SE*
375 028	CX	*SE*
375 029	CX	*SE*
375 030	CX	*SE*

2. 750 V d.c. EMUs

These classes operate on the third rail system at 750–850 V d.c. Except where stated otherwise, all multiple units can run in multiple with one another. Buffet cars have electric cooking. In addition to the class number, the old SR designations e.g. 4 Cig are quoted where appropriate. Outer couplings are buckeyes on units built before 1982 with bar couplings within the units. Newer units have tightlock outer couplings.

CLASS 438 4 TC

DTSO–TFK–TBSK–DTSO. Converted from loco-hauled stock. Unpowered units which worked push & pull with class 431/2 tractor units and class 33/1 and 73 locos. Express stock.

Electrical Equipment: 1966-type.
Bogies: B5 (SR) bogies.
Gangways: Throughout.
Dimensions: 19.66 x 2.82 m.
Maximum Speed: 90 m.p.h.

DTSO. Dia. EE266. Lot No. 30764 York 1966–67. –/64. 32 t.
TFK. Dia. EH160. Lot No. 30766 York 1966–67. 42/– 2T. 33.5 t.
TBSK. Dia. EJ260. Lot No. 30765 York 1966–67. –/32 1T. 35.5 t.

410	B	P	ZG	76288	70859	70812	76287
417	B	RO	TM	76302	70860	70826	76301
Spare	N	P	ZG	76327			

Former numbers of converted hauled stock:

70812 (34987)
70826 (34980)
70859 (13040)
70860 (13019)
76287 (4379)
76288 (4391)
76301 (4375)
76302 (4382)
76327 (4018)

CLASS 421/5 'GREYHOUND' 4 Cig (PHASE 2)

DTCsoL (A)–MBSO–TSO–DTCsoL (B). Express stock. All facelifted with new trim and fluorescent lighting in saloons.

Note: The following details apply to all Class 421 (phase 2) sets.

Diagram Numbers: EE369, ED264, EH287, EE369.
Electrical Equipment: 1963-type.
Bogies: Two Mk. 6 motor bogies (MBSO). B5 (SR) bogies (trailer cars).
Gangways: Throughout.
Traction Motors: Four EE507 of 185 kW.
Dimensions: 19.75 x 2.82 m.
Maximum Speed: 90 m.p.h.

76561–76567. DTCsoL(A). Lot No. 30802 York 1970. 18/36 2T. 35.5 t.
76581–76610. DTCsoL(A). Lot No. 30806 York 1970. 18/36 2T. 35.5 t.
76717–76787. DTCsoL(A). Lot No. 30814 York 1970–72. 18/36 2T. 35.5 t.
76859. DTCsoL(A). Lot No. 30827 York 1972. 18/36 2T. 35.5 t.
62277–62283. MBSO. Lot No. 30804 York 1970. –/56. 49 t.
62287–62316. MBSO. Lot No. 30808 York 1970. –/56. 49 t.
62355–62425. MBSO. Lot No. 30816 York 1970. –/56. 49 t.
62430. MBSO. Lot No. 30829 York 1972. –/56. 49 t.
70967–70996. TSO. Lot No. 30809 York 1970–71. –/72. 31.5t.
71035–71105. TSO. Lot No. 30817 York 1970. –/72. 31.5t.
71106. TSO. Lot No. 30830 York 1972. –/72. 31.5t.
71926–71928. TSO. Lot No. 30805 York 1970. –/72. 31.5t.
76571–76577. DTCsoL(B). Lot No. 30802 York 1970. 24/28 2T. 35 t.
76611–76640. DTCsoL(B). Lot No. 30807 York 1970. 24/28 2T. 35 t.
76788–76858. DTCsoL(B). Lot No. 30815 York 1970–72. 24/28 2T. 35 t.
76859. DTCsoL(B). Lot No. 30828 York 1972. 18/36 2T. 35 t.

These sets are known as 'Greyhound' units and are fitted with an additional stage of field weakening to improve the maximum attainable speed. This term is traditional on the lines of the former London & South Western railway, as it was formerly applied to their Class T9 4–4–0 express steam locomotives.

1301	**N**	F	*SW*	FR	76595	62301	70981	76625
1302	**N**	F	*SW*	FR	76584	62290	70970	76614
1303	**N**	F	*SW*	FR	76581	62287	70967	76611
1304	**N**	F	*SW*	FR	76583	62289	70969	76613
1305	**N**	F	*SW*	FR	76717	62355	71035	76788
1306	**ST**	F	*SW*	FR	76723	62361	71041	76794
1307	**N**	F	*SW*	FR	76586	62292	70972	76616
1308	**N**	F	*SW*	FR	76627	62298	70978	76622
1309	**N**	F	*SW*	FR	76594	62300	70980	76624
1310	**N**	F	*SW*	FR	76567	62283	71926	76577
1311	**N**	F	*SW*	FR	76561	62277	71927	76571
1312	**ST**	F	*SW*	FR	76562	62278	71928	76572
1313	**ST**	F	*SW*	FR	76596	62302	70982	76626
1314	**ST**	F	*SW*	FR	76588	62294	70974	76618
1315	**ST**	F	*SW*	FR	76608	62314	70994	76638
1316	**ST**	F	*SW*	FR	76585	62291	70971	76615
1317	**ST**	F	*SW*	FR	76597	62303	70983	76592
1318	**N**	F	*SW*	FR	76590	62296	70976	76620
1319	**N**	F	*SW*	FR	76591	62297	70977	76621
1320	**ST**	F	*SW*	FR	76593	62299	70979	76623
1321	**ST**	F	*SW*	FR	76589	62295	70975	76619
1322	**ST**	F	*SW*	FR	76587	62293	70973	76617

Former numbers of converted buffet cars:

71926 (69315) | 71927 (69330) | 71928 (69331)

Note: No new Lot Nos were issued for the above conversions.

CLASS 424/3 Cop (PHASE 2)

DTSOL(A)–MBSO–DTSOL(B). Express stock.

Diagram Numbers: EE3??, ED264, EE3??.
Electrical Equipment: 1963-type.
Bogies: Two Mk. 6 motor bogies (MBSO). B5 (SR) bogies (trailer cars).
Gangways: Throughout.
Traction Motors: Four EE507 of 185 kW.
Dimensions: 19.75 x 2.82 m.
Maximum Speed: 90 m.p.h.

76563–76570. DTSOL(A). Lot No. 30802 York 1970. –/60 1T. 35.5 t.
76602. DTCSOL(A). Lot No. 30806 York 1972. –/60 1T. 35.5 t.
76728–76750. DTSOL(A). Lot No. 30814 York 1970–72. –60 1T. 35 t.
62279–62286. MBSO. Lot No. 30804 York 1970. –/56 + 1 tip-up. 49 t.
62308. MBSO. Lot No. 30808 York 1970. –/56 + 1 tip-up. 49 t.
62366–62388. MBSO. Lot No. 30816 York 1970. –/56 + 1 tip-up. 49 t.
76573–76580. DTSOL(B). Lot No. 30802 York 1970. –/60 1T. 35 t.
76632. DTSOL(B). Lot No. 30807 York 1970. –/60 1T. 35 t.
76799–76821. DTSOL(B). Lot No. 30815 York 1970–72. –/60 1T. 35 t.

1401	(2208)	**CX**	P	*SC*	BI	76568	62284	76578
1402	(2204)	**CX**	P	*SC*	BI	76564	62280	76574
1403	(2203)	**CX**	P	*SC*	BI	76563	62279	76573
1404	(2206)	**CX**	P	*SC*	BI	76602	62308	76632
1405	(2205)	**CX**	P	*SC*	BI	76565	62281	76575
1406	(2252)	**CX**	P	*SC*	BI	76728	62366	76799
1407	(2257)	**CX**	P	*SC*	BI	76800	62367	76729
1408	(2261)	**CX**	P	*SC*	BI	76750	62388	76821
1409	(2209)	**CX**	P	*SC*	BI	76569	62285	76579
1410	(2253)	**CX**	P	*SC*	BI	76734	62372	76805
1411	(2210)	**CX**	P	*SC*	BI	76570	62286	76580

CLASS 411/5 REFURBISHED 4 Cep

DMSO (A)–TBCK–TSOL–DMSO (B). Kent Coast Express Stock. Refurbished and renumbered from the 71/72xx series. Fitted with hopper ventilators, Inter-City 70 seats and fluorescent lighting.

Electrical Equipment: 1957-type.
Bogies: One Mk. 4 (Mk 3B§) motor bogie (DMSO). Commonwealth trailer bogies.
Gangways: Throughout.
Traction Motors: Two EE507 of 185 kW.
Dimensions: 19.75 x 2.82 m.
Maximum Speed: 90 m.p.h.

†–70345 is a TBFK with one compartment declassified. It is from the original refurbished unit (1500), has a different interior colour scheme and does not have hopper ventilators.

DMSO (A). Dia. EA263. –/64. 44.15 t.
TBCK. Dia. EJ361. 24/6 2T. 36.17 t.
TSOL. Dia. EH282. –/64 2T. 33.78 t.
DMSO (B). Dia. EA264. –/64. 43.54 t.

Lot numbers are as follows, all cars being built at Ashford/Eastleigh:

61229–61240. 30449 1958.
61306–61409. 30454 1958–59.
61696–61811. 30619 1960–61.
61868–61869. 30638 1960–61.
61948–61959. 30708 1963.
70043–70044. 30639 1961.
70229–70234. 30450 1958.
70235–70239. 30451 1958.
70241. 30640 1961.
70261–70302. 30455 1958–59.
70304–70355. 30456 1958–59.
70504–70551. 30620 1960–61.
70553–70610. 30621 1960–61.
70653–70657. 30709 1963.
70660–70664. 30710 1963.

1507	**N**	P	*SW*	FR	61363	70332	70289	61362
1509	**N**	P	*SE*	RE	61335	70318	70275	61334
1510	**N**	P	*SE*	RE	61365	70333	70290	61364
1511	**N**	P	*SE*	RE	61367	70334	70291	61366
1512	**ST**	P	*SW*	FR	61321	70311	70268	61320
1517	**N**	P	*SE*	RE	61317	70309	70266	61316
1519	**ST**	P	*SW*	FR	61403	70352	70516	61402
1520	**N**	P	*SE*	RE	61343	70327	70284	61380
1527	**N**	P	*SE*	RE	61237	70239	70233	61238
1530	**N**	P	*SE*	RE	61331	70316	70273	61330
1531	**ST**	P	*SW*	FR	61233	70237	70231	61234
1532	**ST**	P	*SW*	FR	61391	70346	71626	61390
1533	**ST**	P	*SW*	BM	61393	70347	71627	61385
1534	**ST**	P	*SW*	FR	61405	70353	71628	61404
1535	**N**	P	*SW*	FR	61397	70349	71629	61396
1536	**N**	P	*SE*	RE	61399	70350	71631	61398
1537	**N**	P	*SW*	FR	61229	70235	70229	61230
1538	**ST**	P	*SW*	FR	61307	70304	70261	61306
1539	**ST**	P	*SW*	FR	61401	70351	71832	61400
1541	**N**	P	*SE*	RE	61409	70355	71633	61408
1543	**N**	P	*SE*	RE	61323	70312	70297	61322
1544	**ST**	P	*SW*	FR	61315	70308	70265	61349
1545	**ST**	P		(S)	61359	70330	70287	61358
1547	**ST**	P	*SW*	FR	61329	70578	70272	61328
1548	**ST**	P	*SW*	FR	61375	70338	70295	61374
1549	**N**	P	*SE*	RE	61339	70320	70277	61338
1550	**N**	P	*SE*	RE	61313	70307	70264	61312
1551	**N**	P	*SE*	RE	61325	70313	70270	61324
1553	**N**	P	*SE*	RE	61728	70306	70263	61350
1554	**N**	P	*SE*	RE	61369	70335	70292	61368
1555	**N**	P	*SE*	RE	61311	70326	70283	61310
1556	**N**	P	*SE*	RE	61371	70336	70293	61370
1557	**N**	P	*SE*	RE	61337	70331	70288	61360
1559	**N**	P	*SE*	RE	61377	70339	70296	61376
1560	**N**	P	*SE*	RE	61387	70344	70301	61386
1561	**N**	P	*SE*	RE	61231	70604	70230	61232

1562		**N**	P	*SE*	RE	61407	70236	70241	61406
1563	§	**N**	P	*SE*	RE	61740	70575	70526	61741
1564	§	**N**	P	*SE*	RE	61788	70599	70550	61789
1565	§	**N**	P	*SE*	RE	61762	70586	71711	61763
1566	§	**N**	P	*SE*	RE	61722	70566	70517	61723
1568	§	**ST**	P	*SW*	FR	61766	70588	70539	61767
1570	§	**N**	P	*SE*	RE	61738	70574	70525	61739
1571	§	**N**	P	*SE*	RE	61806	70608	71636	61807
1572	§	**N**	P	*SE*	RE	61734	70572	70523	61735
1573	§	**N**	P	*SW*	FR	61726	70568	70519	61727
1574	§	**N**	P	*SE*	RE	61792	70601	71635	61793
1575	§	**N**	P	*SE*	RE	61768	70583	70540	61769
1576	§	**N**	P	*SE*	RE	61770	70590	70541	61771
1577	§	**N**	P	*SE*	RE	61718	70564	70515	61719
1578	§	**ST**	P	*SW*	FR	61700	70555	70506	61701
1580	§	**N**	P	*SE*	RE	61756	70589	70534	61757
1581	§	**ST**	P	*SW*	FR	61784	70597	70548	61785
1582	§	**N**	P	*SE*	RE	61748	70603	71630	61797
1584	§	**N**	P	*SE*	RE	61752	70581	70532	61753
1585	§	**N**	P	*SE*	RE	61710	70560	70511	61711
1586	§	**N**	P	*SE*	RE	61714	70562	70513	61715
1587	§	**N**	P	*SE*	RE	61764	70587	71625	61765
1588	§	**N**	P	*SE*	RE	61720	70044	70520	61721
1589	§	**ST**	P	*SW*	FR	61742	70576	70527	61743
1590	§	**N**	P	*SE*	RE	61696	70553	70504	61697
1591	§	**N**	P	*SE*	RE	61790	70600	70551	61791
1592	§	**N**	P	*SE*	RE	61778	70594	70545	61779
1593	§	**N**	P	*SE*	RE	61730	70570	70521	61731
1594	§	**N**	P	*SE*	RE	61754	70582	70533	61755
1595	§	**N**	P	*SE*	RE	61704	70557	70508	61705
1597	§	**N**	P	*SE*	RE	61708	70559	70510	61709
1599	§	**N**	P	*SE*	RE	61706	70558	70509	61707
1602	§	**N**	P	*SE*	RE	61958	70565	70279	61959
1607	§	**N**	P	*SE*	RE	61698	70554	70505	61699
1609	§	**N**	P	*SE*	RE	61744	70577	70528	61745
1610	§	**N**	P	*SE*	RE	61750	70580	70531	61751
1611	§	**N**	P	*SE*	RE	61758	70584	70537	61759
1612	§	**N**	P	*SW*	FR	61794	70602	70535	61795
1613	§	**N**	P	*SE*	RE	61760	70585	70536	61761
1614	§	**N**	P	*SE*	RE	61702	70556	70507	61703
1615	§	**N**	P	*SE*	RE	61956	70657	70664	61957
1616	§	**N**	P	*SE*	RE	61950	70654	70543	61951
1617	§	**N**	P	*SE*	RE	61800	70605	70661	61801
1618	§	**N**	P	*SE*	RE	61868	70043	70663	61869
1619	§	**N**	P	*SE*	RE	61952	70655	70662	61953
1620	§	**N**	P		EH	61948	70653		61949
Spare		**N**	P		ZD	61383			
Spare		**J**	P		BM		70302		
Spare		**N**	P		ZG			70345	
Spare		**N**	P		ZA			70660	

Units fitted with B5(SR) bogies.

1697	**N**	P	*SC*	BI	61373	70337	70294	61372
1698	**N**	P	*SC*	BI	61355	70343	70300	61384
1699 §	**N**	P	*SC*	BI	61712	70561	70512	61713

Former numbers of converted hauled stock:

71625 (4381)	71628 (3844)	71631 (4436)	71635 (3990)
71626 (3916)	71629 (3992)	71632 (4063)	71636 (4065)
71627 (3921)	71630 (3988)	71633 (4072)	71712 (4062)

CLASS 421/3 4 Cig (PHASE 1)

DTCsoL(A)–MBSO–TSO–DTCsoL(B). Express stock. Fitted with electric parking brake. Facelifted with new trim and fluorescent lighting in saloons.

Electrical Equipment: 1963-type.
Bogies: Two Mk. 4 motor bogies (MBSO). B5 (SR) bogies (trailer cars).
Gangways: Throughout.
Traction Motors: Four EE507 of 185 kW.
Dimensions: 19.75 x 2.82 m.
Maximum Speed: 90 m.p.h.

DTCsoL(A). Dia. EE364. Lot No. 30741 York 1964–65. 18/36 2T. 35.5 t.
MBSO. Dia. ED260. Lot No. 30742 York 1964–65. –/56. 49 t.
70695–70730. TSO. Dia. EH275. Lot No. 30730 York 1964–65. –/72. 31.5 t.
71044–71097. TSO. Dia. EH275. Lot No. 30817 York 1970. –/72. 31.5 t.
71766–71770. TSO. Dia. EH275. Lot No. 30784 York 1964–65. –/72. 31.5 t.
DTCsoL(B). Dia. EE363. Lot No. 30740 York 1964–65. 24/28 2T.

* Units reformed from Class 422 to enable all Class 422 power cars to have Mk. 6 motor bogies. Phase 1 units with phase 2 TSOs.

1701	**N**	A		ZG	76087	62028	70706	76033
1702	**N**	A	*SC*	BI	76101	62042	70720	76047
1703	**N**	A	*SC*	BI	76097	62038	70716	76043
1704	**CX**	A	*SC*	BI	76092	62033	70711	76038
1705	**N**	A	*SC*	BI	76076	62017	70695	76022
1706	**N**	A	*SC*	BI	76094	62035	70713	76040
1707	**N**	A	*SC*	BI	76084	62025	70703	76030
1708	**N**	A	*SC*	BI	76110	62051	70729	76056
1709	**N**	A	*SC*	BI	76103	62044	70722	76049
1710	**CX**	A	*SC*	BI	76078	62019	70697	76024
1711	**N**	A	*SC*	BI	76114	62055	71766	76060
1712	**N**	A	*SC*	BI	76079	62020	70698	76025
1713	**N**	A	*SC*	BI	76128	62069	71767	76074
1714	**N**	A	*SC*	BI	76077	62018	70696	76023
1717	**N**	A	*SC*	BI	76083	62024	70702	76029
1719	**CW**	A	*SC*	BI	76116	62057	70719	76062
1720	**N**	A	*SC*	BI	76098	62039	71769	76044
1721	**CX**	A	*SC*	BI	76090	62031	70709	76036
1722	**CX**	A	*SC*	BI	76106	62047	70725	76052

1724		**CX**	A	*SC*	BI	76120	62061	71770	76066
1725		**CX**	A	*SC*	BI	76088	62029	70707	76034
1726		**CX**	A	*SC*	BI	76109	62050	70728	76055
1727		**CX**	A	*SC*	BI	76111	62052	70730	76057
1731		**N**	A	*SC*	BI	76095	62036	70714	76041
1733	*	**CX**	A	*SC*	BI	76122	62063	71047	76068
1734	*	**N**	A	*SC*	BI	76063	62054	71044	76059
1735	*	**N**	A	*SC*	BI	76117	62058	71050	76051
1736	*	**N**	A		ZG	76124	62065	71052	76070
1737	*	**N**	A		ZG	76121	62062	71058	76067
1738	*	**N**	A	*SC*	BI	76129	62064	71046	76069
1739	*	**N**	A	*SC*	BI	76123	62070	71066	76075
1740	*	**CX**	A	*SC*	BI	76126	62067	71097	76072
1741		**CX**	A	*SC*	BI	76089	62030	70708	76035
1742		**N**	A		ZG	76086	62027	70705	76032
1743	*	**CX**	A	*SC*	BI	76118	62059	71065	76064
1744	*	**CX**	A	*SC*	BI	76127	62068	71064	76073
1745		**N**	A	*SC*	BI	76085	62026	70704	76031
1746		**N**	A	*SC*	BI	76091	62032	70710	76037
1747		**N**	A	*SC*	BI	76026	62034	70712	76093
1748	*	**N**	A		ZG	76115	62056	71067	76061
1750		**N**	A	*SC*	BI	76080	62021	70699	76039
1751		**N**	A	*SC*	BI	76125	62066	71051	76071
1752		**N**	A	*SC*	BI	76119	62060	70717	76065
1753		**N**	A	*SC*	BI	76102	62043	70721	76048
Spare	*	**N**	A		ZF		62053	71068	76058

Former numbers of converted buffet cars:

71766 (69303)	71768 (69317)	71769 (69305)	71770 (69308)
71767 (69314)			

Note: No new lot numbers were issued for the above conversions

CLASS 421/4 — 4 Cig (PHASE 2)

DTCsoL(A)–MBSO–TSO–DTCsoL(B). Express stock. Facelifted with new trim and fluorescent lighting in saloons. For details Class 421/5.

1801	**N**	P	*SC*	BI	76777	62415	71095	76848
1802	**N**	P	*SC*	BI	76754	62392	71072	76825
1803	**N**	A	*SC*	BI	76780	62418	71098	76851
1804	**CX**	A	*SC*	BI	76778	62416	71096	76849
1805	**N**	A	*SC*	BI	76782	62420	71100	76853
1806	**N**	F	*SE*	RE	76783	62421	71101	76854
1807	**N**	F	*SE*	RE	76784	62422	71102	76855
1808	**N**	F	*SE*	RE	76785	62423	71103	76856
1809	**N**	F	*SE*	RE	76786	62424	71104	76857
1810	**N**	F	*SE*	RE	76787	62425	71105	76858
1811	**N**	F	*SE*	RE	76781	62419	71099	76852
1812	**N**	F	*SE*	RE	76757	62395	71075	76828
1813	**N**	F	*SE*	RE	76859	62430	71106	76860

1831	**N**	A	*SC*	BI	76598	62304	70984	76628
1832	**CX**	A	*SC*	BI	76719	62357	71037	76790
1833	**CX**	A	*SC*	BI	76582	62288	70968	76612
1834	**CX**	A	*SC*	BI	76566	62282	70988	76576
1835	**CX**	A	*SC*	BI	76601	62307	70987	76631
1837	**CX**	A	*SC*	BI	76722	62360	71040	76793
1839	**N**	F	*SE*	RE	76607	62313	70993	76637
1840	**N**	F	*SE*	RE	76724	62362	71042	76795
1841	**N**	F	*SE*	RE	76603	62309	70989	76633
1842	**N**	F	*SE*	RE	76725	62363	71043	76796
1843	**N**	F	*SE*	RE	76731	62369	71049	76802
1845	**CX**	A	*SC*	BI	76599	62305	70985	76629
1846	**CX**	A	*SC*	BI	76737	62375	71055	76808
1847	**N**	A	*SC*	BI	76600	62306	70986	76630
1848	**N**	A	*SC*	BI	76605	62311	70991	76635
1850	**CX**	A	*SC*	BI	76718	62356	71036	76789
1851	**N**	A	*SC*	BI	76721	62359	71039	76792
1853	**N**	A	*SC*	BI	76606	62312	70992	76636
1854	**N**	A	*SC*	BI	76738	62376	71056	76809
1855	**N**	A	*SC*	BI	76720	62358	71038	76791
1856	**N**	A	*SC*	BI	76739	62377	71057	76810
1857	**N**	A	*SC*	BI	76610	62316	70996	76640
1858	**N**	A	*SC*	BI	76604	62310	70990	76634
1859	**N**	A	*SC*	BI	76727	62365	71045	76798
1860	**N**	A	*SC*	BI	76752	62390	71070	76823
1861	**N**	A	*SC*	BI	76735	62373	71053	76806
1862	**CX**	A	*SC*	BI	76736	62374	71054	76807
1863	**N**	A	*SC*	BI	76742	62380	71060	76813
1864	**N**	A	*SC*	BI	76741	62379	71059	76812
1865	**N**	A	*SC*	BI	76745	62383	71063	76639
1866	**N**	A	*SC*	BI	76743	62381	71061	76814
1867	**N**	A	*SC*	BI	76744	62382	71062	76815
1868	**N**	A	*SC*	BI	76751	62389	71069	76822
1869	**N**	A	*SC*	BI	76753	62391	71071	76804
1870	**N**	F	*SE*	RE	76108	62409	71089	76842
1871	**N**	F	*SE*	RE	76756	62394	71074	76827
1872	**N**	F	*SE*	RE	76771	62396	71076	76829
1873	**N**	F	*SE*	RE	76759	62397	71077	76830
1874	**N**	A	*SC*	BI	76755	62393	71073	76826
1876	**N**	F	*SE*	RE	76761	62399	71079	76832
1877	**N**	F	*SE*	RE	76763	62401	71081	76834
1878	**N**	F	*SE*	RE	76768	62406	71086	76839
1879	**N**	F	*SE*	RE	76760	62398	71078	76831
1880	**N**	F	*SW*	FR	76770	62408	71088	76841
1881	**N**	F	*SW*	FR	76762	62400	71080	76833
1882	**N**	F	*SW*	FR	76765	62403	71083	76836
1883	**N**	F	*SW*	FR	76764	62402	71082	76835
1884	**N**	F	*SW*	FR	76767	62405	71085	76838
1885	**N**	F	*SW*	FR	76769	62407	71087	76840
1886	**N**	F	*SW*	FR	76772	62410	71090	76843
1887	**N**	F	*SW*	FR	76766	62404	71084	76837

1888	**N**	F	*SW*	FR	76773	62411	71091	76844
1889	**N**	F	*SW*	FR	76774	62412	71092	76845
1890	**N**	F	*SW*	FR	76775	62413	71093	76846
1891	**N**	F	*SW*	FR	76776	62414	71094	76847
Spare		A		ZG			70995	
Spare		F		ZG				76824

CLASS 421/9 4 Cig (PHASE 1)

DTCsoL(A)–MBSO–TSO–DTCsoL(B). Express stock. Fitted with electric parking brake.
Facelifted with new trim and fluorescent lighting in saloons. For details Class 421/3. These units are fitted with ex-Class 432 Mark 6 motor bogies.

1901	**N**	P	*SC*	BI	76082	62023	70701	76028
1902	**N**	P	*SC*	BI	76100	62041	71768	76046
1903	**CX**	A	*SC*	BI	76081	62022	70700	76027
1904	**CX**	A	*SC*	BI	76107	62048	70726	76053
1905	**CX**	A	*SC*	BI	76099	62040	70718	76045
1906	**CX**	A	*SC*	BI	76105	62046	70724	76113
1907	**CX**	A	*SC*	BI	76104	62045	70723	76050
1908	**N**	A	*SC*	BI	76096	62037	70715	76042

CLASS 422/3 Facelifted 4 Big (PHASE 2/1)

DTCsoL (A)–MBSO–TSRB–DTCsoL (B). Express stock. Units reformed from Class 421 to ensure that all Class 422 power cars have Mk. 6 motor bogies. Phase 2 units with phase 1 TSRBs (except for 69333 which is a phase 2 TSRB).

Diagram Numbers: EE369, ED264, EN260, EE369.
Electrical Equipment: 1963-type.
Bogies: Two Mk. 6 motor bogies (MBSO). B5 (SR) bogies (trailer cars).
Gangways: Throughout.
Traction Motors: Four EE507 of 185 kW.
Dimensions: 19.75 x 2.82 m.
Maximum Speed: 90 m.p.h.

69301–69318. TSRB. Lot No. 30744 York 1966. –/40. 35 t.
69333. TSRB. Lot No. 30805 York 1970. –/40. 35 t.

2251	**N**	P	*SC*	BI	76726	62364	69302	76797
2254	**N**	P	*SC*	BI	76732	62370	69306	76803
2255	**N**	P	*SC*	BI	76740	62378	69310	76811
2256	**N**	P	*SC*	BI	76747	62385	69307	76818
2258	**N**	P	*SC*	BI	76746	62384	69316	76817
2259	**N**	P	*SC*	BI	76748	62386	69318	76819
2260	**N**	P	*SC*	BI	76749	62387	69304	76820
2262	**N**	P	*SC*	BI	76779	62417	69333	76850

Spare TSRB (Phase 1)

69301 P ZG	69311 P ZG	69312 P ZG
69313 P ZG		

Spare TSRB (Phase 2)

69332 P ZG	69336 P ZG	69338 P ZG
69334 P ZG	69337 P ZG	69339 P ZG
69335 P ZG		

CLASS 412 REFURBISHED 4 Bep

DMSO (A)–TBCK–TRSB–DMSO (B). Kent Coast Express Stock. Refurbished and renumbered from the 70xx series. Fitted with hopper ventilators, Inter-City 70 seats and fluorescent lighting.

Electrical Equipment: 1957-type.
Bogies: Mk 6 motor bogies and B5(SR) trailer bogies.
Gangways: Throughout.
Traction Motors: Four EE507 of 185 kW.
Dimensions: 19.75 x 2.82 m.
Maximum Speed: 90 m.p.h.

DMSO (A). Dia. EA263. –/64. 44.15 t.
TBCK. Dia. EJ361. 24/6 2T. 36.17 t.
TRSB. Dia. EN261. –/24 1T + 9 longitudinal buffet chairs. 35.5 t.
DMSO (B). Dia. EA264. –/64. 43.54 t.
Lot numbers are as follows, all cars being built at Ashford/Eastleigh:

61736–61809. 30619 1960–61.
61954–61955. 30708 1963.
69341–69347. 30622 1961.
70354. 30456 1959.
70573–70609. 30621 1960–61.
70656. 30709 1963.

2301	**ST**	P	*SW*	FR	61804	70607	69341	61805
2302	**ST**	P	*SW*	FR	61774	70592	69342	61809
2303	**ST**	P	*SW*	FR	61954	70656	69347	61955
2304	**ST**	P	*SW*	FR	61736	70573	69344	61737
2305	**ST**	P	*SW*	FR	61798	70354	69345	61799
2306	**ST**	P	*SW*	FR	61808	70609	69346	61775
2307	**ST**	P	*SW*	FR	61802	70606	69343	61803

Former numbers of converted buffet cars:

69341 (69014)	69343 (69018)	69345 (69013)	69347 (69015)
69342 (69019)	69344 (69012)	69346 (69016)	

CLASS 442 WESSEX EXPRESS STOCK

DTFsoL–TSOL(A)–MBRSM–TSOL(B)–DTSOL. Express stock built for Waterloo–Bournemouth–Weymouth service. Now also used on certain Portsmouth Harbour services. Air conditioned (heat pump system). Power-operated sliding plug doors. Can be hauled and heated by any BR ETH fitted locomo tive. Multiple working with class 33/1 and 73 locomotives.

Electrical Equipment: 1986-type.
Bogies: Mk 6 motor bogies (MBRSM). T4 trailer bogies.
Gangways: Throughout.
Traction Motors: Four EE546 of 300 kW recovered from class 432.
Dimensions: 23.00 x 2.74 m (inner cars), 23.15 x 2.74 m (outer cars).
Maximum Speed: 100 m.p.h.

DTFsoL. Dia. EE160. Lot No. 31030 Derby 1988–89. 50/– 1T. (36 in six compartments and 14 2+2 in one saloon). Public Telephone. 39.06 t.
TSOL (A). Dia. EH288. Lot No. 31032 Derby 1988–89. –/80 2T. 35.26 t.
MBRSM. Dia. ED265. Lot No. 31034 Derby 1988–89. –/14. 54.10 t.
TSOL (B). Dia. EH289. Lot No. 31033 Derby 1988–89. –/76 2T + wheelchair space. + 2 tip-up seats. 35.36 t.
DTSOL. Dia. EE273. Lot No. 31031 Derby 1988–89. –/78 1T. 39.06 t.

2401	**NW**	A	*SW*	BM	77382	71818	62937	71842	77406
2402	**ST**	A	*SW*	BM	77383	71819	62938	71843	77407
2403	**NW**	A	*SW*	BM	77384	71820	62941	71844	77408
2404	**NW**	A	*SW*	BM	77385	71821	62939	71845	77409
2405	**NW**	A	*SW*	BM	77386	71822	62944	71846	77410
2406	**NW**	A	*SW*	BM	77389	71823	62942	71847	77411
2407	**NW**	A	*SW*	BM	77388	71824	62943	71848	77412
2408	**NW**	A	*SW*	BM	77387	71825	62945	71849	77413
2409	**NW**	A	*SW*	BM	77390	71826	62946	71850	77414
2410	**NW**	A	*SW*	BM	77391	71827	62948	71851	77415
2411	**NW**	A	*SW*	BM	77392	71828	62940	71858	77422
2412	**NW**	A	*SW*	BM	77393	71829	62947	71853	77417
2413	**NW**	A	*SW*	BM	77394	71830	62949	71854	77418
2414	**NW**	A	*SW*	BM	77395	71831	62950	71855	77419
2415	**NW**	A	*SW*	BM	77396	71832	62951	71856	77420
2416	**NW**	A	*SW*	BM	77397	71833	62952	71857	77421
2417	**NW**	A	*SW*	BM	77398	71834	62953	71852	77416
2418	**NW**	A	*SW*	BM	77399	71835	62954	71859	77423
2419	**NW**	A	*SW*	BM	77400	71836	62955	71860	77424
2420	**NW**	A	*SW*	BM	77401	71837	62956	71861	77425
2421	**NW**	A	*SW*	BM	77402	71838	62957	71862	77426
2422	**NW**	A	*SW*	BM	77403	71839	62958	71863	77427
2423	**NW**	A	*SW*	BM	77404	71840	62959	77864	77428
2424	**NW**	A	*SW*	BM	77405	71841	62960	71865	77429

Names of MBRSM:

62937 BEAULIEU
62938 COUNTY OF HAMPSHIRE
62939 BOROUGH OF WOKING
62941 THE NEW FOREST
62942 VICTORY
62943 THOMAS HARDY
62944 CITY OF PORTSMOUTH
62945 COUNTY OF DORSET
62946 BOURNEMOUTH ORCHESTRAS
62947 SPECIAL OLYMPICS
62948 MERIDIAN TONIGHT
62951 MARY ROSE
62952 Mum in a Million, Doreen Scanlon
62954 WESSEX CANCER TRUST
62955 BBC SOUTH TODAY
62956 CITY SOUTHAMPTON
62958 OPERATION OVERLORD
62959 COUNTY OF SURREY

CLASS 423 4 Vep

DTCsoL–MBSO–TSO–DTCsoL. Outer suburban stock. Facelifted with fluorescent lighting.

Electrical Equipment: 1963-type.
Bogies: Two Mk. 4 motor bogies (MBSO). B5 (SR) bogies (trailer cars).
Gangways: Throughout.
Traction Motors: Four EE507 of 185 kW.
Dimensions: 19.75 x 2.82 m.
Maximum Speed: 90 m.p.h.

62121–40. MBSO. Dia. ED266. Lot No. 30760 Derby 1967. –/76. 49 t.
62182–216. MBSO. Dia. ED266. Lot No. 30773 York 1967–68. –/76. 49 t.
62217–66. MBSO. Dia. ED266. Lot No. 30794 York 1968–69. –/76. 49 t.
62267–76. MBSO. Dia. ED266. Lot No. 30800 York 1970. –/76. 49 t.
62317–54. MBSO. Dia. ED266. Lot No. 30813 York 1970–73. –/76. 49 t.
62435–75. MBSO. Dia. ED266. Lot No. 30851 York 1973–74. –/76. 49 t.
70781–800. TSO. Dia. EH291. Lot No. 30759 Derby 1967. –/98. 31.5 t.
70872–906. TSO. Dia. EH291. Lot No. 30772 York 1967–68. –/98. 31.5 t.
70907–56. TSO. Dia. EH291. Lot No. 30793 York 1968–69. –/98. 31.5 t.
70957–66. TSO. Dia. EH291. Lot No. 30801 York 1970. –/98. 31.5 t.
70997–71034. TSO. Dia. EH291. Lot No. 30812 York 1970–73. –/98. 31.5 t.
71115–55. TSO. Dia. EH291. Lot No. 30852 York 1973–74. –/98. 31.5 t.
76230–69. DTCsoL. Dia. EE373. Lot No. 30758 York 1967. 18/46 1T. 35 t.
76275. DTSO (Class 438). Dia. EE266. Lot No. 30764 York 1966. –/64 1T. 32 t. (Converted from hauled TSO 3929).
76333–402. DTCsoL. Dia. EE373. Lot No. 30771 Yk 1967–68. 18/46 1T. 35 t.
76441–540. DTCsoL. Dia. EE373. Lot No. 30792 Yk 1968–69. 18/46 1T. 35 t.
76541–60. DTCsoL. Dia. EE373. Lot No. 30799 York 1970. 18/46 1T. 35 t.
76641–716. DTCsoL. Dia. EE373. Lot No. 30811 Yk 1970–73. 18/46 1T. 35 t.
76861–942. DTCsoL. Dia. EE368. Lot No. 30853 Yk 1973–74. 18/46 1T. 35 t.

3401	**ST**	F	*SW*	WD	76230	62276	70781	76231
3402	**N**	F	*SW*	WD	76233	62123	70782	76232
3403	**N**	F	*SW*	WD	76234	62254	70783	76235
3404	**N**	F	*SW*	WD	76378	62261	70894	76236
3405	**N**	F	*SW*	WD	76239	62271	70785	76238
3406	**ST**	F	*SW*	WD	76241	62130	70786	76240
3407	**ST**	F	*SW*	WD	76243	62348	70787	76242
3408	**N**	F	*SW*	WD	76244	62435	70788	76245
3409	**N**	F	*SW*	WD	76246	62239	70789	76247
3410	**ST**	F	*SW*	WD	76369	62442	70790	76249
3411	**ST**	F	*SW*	WD	76251	62342	70791	76250
3412	**N**	A	*SE*	RE	76252	62340	70792	76253
3413	**N**	F	*SW*	WD	76255	62441	70793	78254
3414	**N**	F	*SW*	WD	76257	62446	70794	76248
3415	**N**	F	*SW*	WD	76258	62462	70795	76259
3416	**N**	A	*SE*	RE	76261	62451	70796	76260
3417	**ST**	F	*SW*	WD	76262	62236	70797	76263
3418	**N**	F	*SW*	WD	76265	62133	70875	76264

3419	**ST**	F	*SW*	WD	76267	62354	70799	76266
3420	**ST**	F	*SW*	WD	76269	62349	70800	76268
3421	**N**	A	*SE*	RE	76889	62449	71129	76890
3422	**N**	A	*SE*	RE	76372	62201	70891	76371
3423	**N**	A	*SE*	RE	76452	62222	70912	76451
3424	**N**	A	*SE*	RE	76354	62185	70882	76353
3425	**N**	F	*SW*	WD	76338	62192	70874	76358
3426	**N**	F	*SW*	WD	76386	62208	70898	76385
3427	**N**	F	*SW*	WD	76374	62184	70892	76373
3428	**N**	F	*SW*	WD	76454	62223	70913	76453
3429	**N**	F	*SW*	WD	76334	62202	70872	76333
3430	**N**	F	*SW*	WD	76348	62189	70879	76347
3431	**N**	F	*SW*	WD	76458	62182	70915	76457
3432	**N**	F	*SW*	WD	76400	62225	70905	76399
3433	**N**	F	*SW*	WD	76444	62215	70908	76443
3434	**N**	F	*SW*	WD	76462	62218	70917	76461
3435	**CX**	P	*SC*	BI	76342	62228	70876	76341
3436	**CX**	P	*SC*	BI	76350	62190	70880	76349
3437	**CX**	P	*SC*	BI	76346	62186	70878	76345
3438	**N**	P	*SC*	BI	76530	62262	70951	76529
3439	**N**	P	*SC*	BI	76402	62227	70906	76401
3442	**N**	P	*SC*	BI	76492	62216	70932	76491
3445	**N**	A	*SE*	RE	76450	62242	70911	76449
3446	**N**	A	*SE*	RE	76532	62243	70952	76531
3447	**N**	A	*SE*	RE	76380	62199	70895	76379
3448	**N**	A	*SE*	RE	76376	62221	70886	76375
3449	**N**	A	*SE*	RE	76336	62205	70873	76335
3450	**N**	A	*SE*	RE	76460	62203	70916	76459
3451	**N**	A	*SE*	RE	76488	62240	70930	76487
3452	**N**	A	*SE*	RE	76340	62183	71021	76690
3453	**N**	A	*SE*	RE	76382	62226	70896	76381
3454	**N**	A	*SE*	RE	76390	62200	70798	76389
3455	**N**	F	*SW*	WD	76388	62206	70899	76387
3456	**N**	F	*SW*	WD	76458	62210	70914	76455
3457	**N**	F	*SW*	WD	76392	62197	70901	76391
3458	**N**	F	*SW*	WD	76394	62209	70902	76393
3459	**ST**	F	*SW*	WD	76396	62224	70903	76395
3462	**N**	P	*SC*	BI	76536	62213	70954	76535
3463	**N**	P	*SC*	BI	76398	62266	70904	76397
3464	**N**	P	*SC*	BI	76442	62265	70907	76441
3466	**N**	F	*SW*	WD	76464	62214	70918	76463
3467	**N**	F	*SW*	WD	76446	62217	70909	76445
3468	**N**	F	*SW*	WD	76448	62267	70910	76447
3469	**N**	F	*SW*	WD	76546	62219	70959	76545
3470	**N**	F	*SW*	WD	76496	62220	70934	76495
3471	**N**	A	*SE*	RE	76498	62269	70935	76497
3472	**N**	A	*SE*	RE	76500	62244	70936	76499
3473	**N**	A	*SE*	RE	76502	62245	70937	76339
3474	**N**	A	*SE*	RE	76504	62246	70938	76503
3475	**N**	A	*SE*	RE	76552	62270	70962	78551
3476	**N**	P	*SC*	BI	76548	62247	70960	76547

3478	**N**	P	*SC*	BI	76653	62125	71003	76654
3479	**N**	F	*SW*	WD	76655	62272	71004	76656
3480	**N**	F	*SW*	WD	76474	62323	70923	76473
3481	**N**	F	*SW*	WD	76648	62324	70900	76647
3482	**N**	F	*SW*	WD	76657	62320	71005	76658
3483	**N**	F	*SW*	WD	76661	62233	71007	76662
3484	**N**	F	*SW*	WD	76476	62325	70924	76475
3485	**N**	F	*SW*	WD	76508	62327	70940	76507
3486	**N**	F	*SW*	WD	76478	62234	70925	76477
3487	**N**	A	*SE*	RE	76645	62250	70941	76509
3488	**N**	F	*SW*	WD	76663	62235	71008	76664
3489	**N**	F	*SW*	WD	76665	62251	71009	76666
3490	**N**	F	*SW*	WD	76695	62328	71024	76696
3491	**N**	A	*SE*	RE	76337	62436	70927	76481
3492	**N**	A	*SE*	RE	76667	62344	71010	76668
3493	**N**	A	*SE*	RE	76669	62237	71011	76670
3494	**N**	A	*SE*	RE	76675	62330	71014	76676
3495	**N**	A	*SE*	RE	76699	62331	71026	76700
3496	**N**	A	*SE*	RE	76673	62334	71013	76674
3497	**N**	A	*SE*	RE	76671	62346	71012	76672
3498	**N**	A	*SE*	RE	76701	62333	71027	76702
3499	**N**	A	*SE*	RE	76901	62347	71135	76902
3500	**N**	A	*SE*	RE	76470	62455	70921	76469
3501	**CX**	P	*SC*	BI	76512	62332	70942	76511
3503	**CX**	P	*SC*	BI	76681	62231	71017	76682
3504	**CX**	P	*SC*	BI	76711	62351	71032	76712
3505	**CX**	P	*SC*	BI	76472	62352	70922	76471
3506	**N**	P	*SC*	BI	76554	62317	70963	76553
3507	**N**	P	*SC*	BI	76558	62232	70965	76557
3508	**ST**	F	*SW*	WD	76643	62273	70998	76644
3509	**ST**	F	*SW*	WD	76560	62275	70966	76559
3510	**ST**	F	*SW*	WD	76641	62318	70997	76642
3511	**N**	A	*SE*	RE	76893	62135	70999	76646
3512	**CX**	P	*SC*	BI	76679	62337	71016	76680
3513	**N**	P	*SC*	BI	76691	62336	71022	76692
3514	**CX**	P	*SC*	BI	76683	62136	71018	76684
3515	**CX**	P	*SC*	BI	76544	62319	70958	76543
3516	**N**	F	*SW*	WD	76693	62268	71023	76694
3517	**CX**	P	*SC*	BI	76685	62338	71019	76686
3518	**CX**	P	*SC*	BI	76689	62343	70887	76363
3519	**CX**	F	*SW*	WD	76556	62274	70964	76555
3520	**N**	F	*SW*	WD	76697	62131	71025	76698
3521	**N**	A	*SE*	RE	76484	62345	70928	76483
3522	**CX**	P	*SC*	BI	76705	62341	71029	76706
3523	**N**	F	*SW*	WD	76651	62139	71002	76652
3524	**N**	F	*SW*	WD	76466	62322	70919	76370
3526	**N**	P	*SC*	BI	76524	62255	70948	76523
3527	**N**	P	*SC*	BI	76520	62326	70946	76519
3528	**N**	P	*SC*	BI	76518	62258	70945	76517
3529	**N**	F	*SW*	WD	76659	62257	71006	76660
3530	**N**	F	*SW*	WD	76468	62256	70920	76467

3531	**N**	F	*SW*	WD	76649	62230	71001	76650
3532	**N**	P	*SC*	BI	76528	62321	70950	76527
3533	**N**	P	*SC*	BI	76364	62260	70949	76525
3534	**N**	P	*SC*	BI	76506	62259	70939	76505
3535	**CX**	P	*SC*	BI	76677	62335	71015	76678
3536	**N**	F	*SW*	WD	76384	62207	70897	76383
3537	**N**	P	*SC*	BI	76514	62249	70943	76513
3539	**N**	F	*SW*	WD	76861	62122	71115	76862
3540	**N**	F	*SW*	WD	76863	62128	71116	76864
3541	**N**	P	*SC*	BI	76703	62238	71028	76704
3542	**ST**	F	*SW*	WD	76480	62127	70926	76479
3543	**N**	A	*SE*	RE	76899	62137	71134	76900
3544	**N**	A	*SE*	RE	76892	62454	71131	76894
3545	**N**	A	*SE*	RE	76875	62121	71122	76876
3546	**CX**	P	*SC*	BI	76687	62339	71020	76688
3547	**N**	A	*SE*	RE	76895	62126	71132	76896
3548	**CX**	A	*SE*	RE	76903	62452	71136	76904
3549	**CX**	P	*SC*	B1	76707	62132	71030	76708
3550	**CX**	P	*SC*	BI	76490	62350	70931	76489
3551	**CX**	P	*SC*	BI	76465	62456	71033	76714
3552	**ST**	F	*SW*	WD	76715	62353	71034	76716
3553	**N**	A	*SE*	RE	76913	62241	71141	76914
3554	**CX**	A	*SE*	RE	76905	62461	71137	76906
3555	**ST**	F	*SW*	WD	76865	62140	71117	76866
3556	**CX**	A	*SE*	RE	76885	62457	71127	76886
3557	**ST**	F	*SW*	WD	76869	62437	71119	76870
3558	**ST**	F	*SW*	WD	76352	62447	70881	76351
3559	**N**	F	*SW*	WD	76486	62439	70929	76485
3560	**N**	A	*SE*	RE	76897	62191	71133	76898
3561	**N**	F	*SW*	WD	76867	62453	71118	76868
3562	**N**	A	*SE*	RE	76907	62129	71138	76908
3563	**N**	F	*SW*	WD	76873	62470	71121	76874
3564	**N**	A	*SE*	RE	76883	62458	71126	76884
3565	**N**	A	*SE*	RE	76877	62134	71123	76878
3566	**N**	A	*SE*	RE	76915	62443	71142	76916
3567	**N**	F	*SW*	WD	76871	62138	71120	76872
3568	**N**	A	*SE*	RE	76887	62440	71128	76888
3569	**N**	F	*SW*	WD	76344	62448	70877	76343
3570	**N**	A	*SE*	RE	76909	62187	71139	76910
3571	**N**	A	*SE*	RE	76927	62463	71148	76928
3572	**N**	A	*SE*	RE	76879	62468	71124	76880
3573	**N**	A	*SE*	RE	76919	62444	71144	76920
3574	**N**	A	*SE*	RE	76929	62464	71149	76930
3575	**N**	A	*SE*	RE	76931	62469	71150	76932
3576	**N**	F	*SW*	WD	76362	62196	70890	76361
3577	**N**	A	*SE*	RE	76933	62459	71151	76934
3578	**N**	F	*SW*	WD	76356	62193	70883	76355
3579	**N**	A	*SE*	RE	76935	62471	71152	76936
3580	**N**	F	*SW*	WD	76360	62195	70885	76359
3581	**N**	F	*SW*	WD	76366	62198	70888	76365
3582	**N**	A	*SE*	RE	76891	62472	71130	76275

3583	**N**	A	*SE*	RE	76937	62450	71153	76938
3584	**N**	A	*SE*	RE	76881	62473	71125	76882
3585	**N**	A	*SE*	RE	76939	62445	71154	76940
3586	**N**	A	*SE*	RE	76921	62474	71145	76922
3587	**N**	A	*SE*	RE	76925	62465	71147	76926
3588	**N**	A	*SE*	RE	76923	62467	71146	76924
3589	**N**	A	*SE*	RE	76911	62466	71140	76912
3590	**N**	A	*SE*	RE	76941	62460	71155	76942
3591	**N**	A	*SE*	RE	76917	62475	71143	76918
3801	**N**	P	*SE*	RE	76522	62229	70947	76521
3802	**N**	P	*SE*	RE	76534	62188	70953	76533
3803	**N**	P	*SE*	RE	76494	62263	70933	76493
3804	**N**	P	*SE*	RE	76368	62204	70889	76367
3805	**N**	P	*SE*	RE	76540	62211	70956	76539
3806	**N**	P	*SE*	RE	76538	62212	70955	76537
3807	**N**	P	*SE*	RE	76542	62264	70957	76541
3808	**N**	P	*SE*	RE	76550	62248	70961	76549
3809	**N**	P	*SE*	RE	76516	62253	70944	76515
3810	**N**	P	*SE*	RE	76709	62252	71031	76710
Spare	**N**	P		WD (U)		62438		
Spare		A		ZG	76510			

CLASS 455/7

DTSO–MSO–TSO–DTSO. Sliding doors. Disc brakes. Fluorescent lighting. Second series with TSOs originally in class 508. Pressure ventilation.

Bogies: BT13 (DTSO), BP27 (MSO), BX1 (TSO).
Gangways: Through gangwayed.
Traction Motors: Four EE507 of 185 kW.
Dimensions: 19.83 x 2.82 m. (outer cars), 19.92 x 2.82 m (inner cars).
Maximum Speed: 75 m.p.h.

DTSO. Dia. EE218. Lot No. 30976 York 1984–85. –/74. 29.5 t.
MSO. Dia. EC203. Lot No. 30975 York 1984–85. –/84. 45 t.
TSO. Dia. EH219. Lot No. 30944 York 1977–80. –/86. 25.48 t.

5701	**N**	P	*SW*	WD	77727	62783	71545	77728
5702	**N**	P	*SW*	WD	77729	62784	71547	77730
5703	**N**	P	*SW*	WD	77731	62785	71540	77732
5704	**N**	P	*SW*	WD	77733	62786	71548	77734
5705	**N**	P	*SW*	WD	77735	62787	71565	77736
5706	**N**	P	*SW*	WD	77737	62788	71534	77738
5707	**N**	P	*SW*	WD	77739	62789	71536	77740
5708	**N**	P	*SW*	WD	77741	62790	71560	77742
5709	**N**	P	*SW*	WD	77743	62791	71532	77744
5710	**N**	P	*SW*	WD	77745	62792	71566	77746
5711	**N**	P	*SW*	WD	77747	62793	71542	77748
5712	**N**	P	*SW*	WD	77749	62794	71546	77750
5713	**ST**	P	*SW*	WD	77751	62795	71567	77752
5714	**ST**	P	*SW*	WD	77753	62796	71539	77754

5715	**ST**	P	*SW*	WD	77755	62797	71535	77756
5716	**ST**	P	*SW*	WD	77757	62798	71564	77758
5717	**ST**	P	*SW*	WD	77759	62799	71528	77760
5718	**ST**	P	*SW*	WD	77761	62800	71557	77762
5719	**ST**	P	*SW*	WD	77763	62801	71558	77764
5720	**ST**	P	*SW*	WD	77765	62802	71568	77766
5721	**ST**	P	*SW*	WD	77767	62803	71553	77768
5722	**ST**	P	*SW*	WD	77769	62804	71533	77770
5723	**ST**	P	*SW*	WD	77771	62805	71526	77772
5724	**N**	P	*SW*	WD	77773	62806	71561	77774
5725	**ST**	P	*SW*	WD	77775	62807	71541	77776
5726	**ST**	P	*SW*	WD	77777	62808	71556	77778
5727	**ST**	P	*SW*	WD	77779	62809	71562	77780
5728	**ST**	P	*SW*	WD	77781	62810	71527	77782
5729	**ST**	P	*SW*	WD	77783	62811	71550	77784
5730	**ST**	P	*SW*	WD	77785	62812	71551	77786
5731	**ST**	P	*SW*	WD	77787	62813	71555	77788
5732	**ST**	P	*SW*	WD	77789	62814	71552	77790
5733	**ST**	P	*SW*	WD	77791	62815	71549	77792
5734	**ST**	P	*SW*	WD	77793	62816	71531	77794
5735	**ST**	P	*SW*	WD	77795	62817	71563	77796
5736	**ST**	P	*SW*	WD	77797	62818	71554	77798
5737	**ST**	P	*SW*	WD	77799	62819	71544	77800
5738	**ST**	P	*SW*	WD	77801	62820	71529	77802
5739	**ST**	P	*SW*	WD	77803	62821	71537	77804
5740	**ST**	P	*SW*	WD	77805	62822	71530	77806
5741	**ST**	P	*SW*	WD	77807	62823	71559	77808
5742	**ST**	P	*SW*	WD	77809	62824	71543	77810
5750	**ST**	P	*SW*	WD	77811	62825	71538	77812

Names:

5711 SPIRIT OF RUGBY
5735 The Royal Borough of Kingston
5750 Wimbledon Train Care

CLASS 455/8

DTSO–MSO–TSO–DTSO. Sliding doors. Disc brakes. Fluorescent lighting. First series. Pressure ventilation.

Bogies: BP20 (MSO), BT13 (trailer cars).
Gangways: Through gangwayed.
Traction Motors: Four EE507 of 185 kW.
Dimensions: 19.83 x 2.82 m. (outer cars), 19.92 x 2.82 m (inner cars).
Maximum Speed: 75 m.p.h.

DTSO. Dia. EE218. Lot No. 30972 York 1982–84. –/74. 29.5 t.
MSO. Dia. EC203. Lot No. 30973 York 1982–84. –/84. 45.6 t.
TSO. Dia. EH221. Lot No. 30974 York 1982–84. –/84. 27.1 t.

5801	**N**	F	*SC*	SU	77579	62709	71637	77580
5802	**N**	F	*SC*	SU	77581	62710	71664	77582
5803	**N**	F	*SC*	SU	77583	62711	71639	77584
5804	**CX**	F	*SC*	SU	77585	62712	71640	77586
5805	**CX**	F	*SC*	SU	77587	62713	71641	77588
5806	**N**	F	*SC*	SU	77589	62714	71642	77590
5807	**N**	F	*SC*	SU	77591	62715	71643	77592
5808	**N**	F	*SC*	SU	77593	62716	71644	77594
5809	**N**	F	*SC*	SU	77595	62717	71645	77596
5810	**N**	F	*SC*	SU	77597	62718	71646	77598
5811	**N**	F	*SC*	SU	77599	62719	71647	77600
5812	**N**	F	*SC*	SU	77601	62720	71648	77602
5813	**N**	F	*SC*	SU	77603	62721	71649	77604
5814	**N**	F	*SC*	SU	77605	62722	71650	77606
5815	**N**	F	*SC*	SU	77607	62723	71651	77608
5816	**N**	F	*SC*	SU	77609	62724	71652	77633
5817	**N**	F	*SC*	SU	77611	62725	71653	77612
5818	**N**	F	*SC*	SU	77613	62726	71654	77614
5819	**N**	F	*SC*	SU	77615	62727	71655	77616
5820	**N**	F	*SC*	SU	77617	62728	71656	77618
5821	**N**	F	*SC*	SU	77619	62729	71657	77620
5822	**N**	F	*SC*	SU	77621	62730	71658	77622
5823	**N**	F	*SC*	SU	77623	62731	71659	77624
5824	**N**	F	*SC*	SU	77637	62732	71660	77626
5825	**N**	F	*SC*	SU	77627	62733	71661	77628
5826	**N**	F	*SC*	SU	77629	62734	71662	77630
5827	**N**	F	*SC*	SU	77610	62735	71663	77632
5828	**N**	F	*SC*	SU	77634	62736	71638	77631
5829	**N**	F	*SC*	SU	77635	62737	71665	77636
5830	**N**	F	*SC*	SU	77625	62743	71666	77638
5831	**N**	F	*SC*	SU	77639	62739	71667	77640
5832	**N**	F	*SC*	SU	77641	62740	71668	77642
5833	**N**	F	*SC*	SU	77643	62741	71669	77644
5834	**N**	F	*SC*	SU	77645	62742	71670	77646
5835	**N**	F	*SC*	SU	77647	62738	71671	77648
5836	**N**	F	*SC*	SU	77649	62744	71672	77650
5837	**N**	F	*SC*	SU	77651	62745	71673	77652
5838	**N**	F	*SC*	SU	77653	62746	71674	77654
5839	**N**	F	*SC*	SU	77655	62747	71675	77656
5840	**N**	F	*SC*	SU	77657	62748	71676	77658
5841	**N**	F	*SC*	SU	77659	62749	71677	77660
5842	**N**	F	*SC*	SU	77661	62750	71678	77662
5843	**N**	F	*SC*	SU	77663	62751	71679	77664
5844	**N**	F	*SC*	SU	77665	62752	71680	77666
5845	**N**	F	*SC*	SU	77667	62753	71681	77668
5846	**N**	F	*SC*	SU	77669	62754	71682	77670
5847	**N**	F	*SW*	WD	77671	62755	71683	77672
5848	**ST**	F	*SW*	WD	77673	62756	71684	77674
5849	**N**	F	*SW*	WD	77675	62757	71685	77676
5850	**N**	F	*SW*	WD	77677	62758	71686	77678
5851	**N**	F	*SW*	WD	77679	62759	71687	77680

5852	**N**	F	*SW*	WD	77681	62760	71688	77682
5853	**N**	F	*SW*	WD	77683	62761	71689	77684
5854	**N**	F	*SW*	WD	77685	62762	71690	77686
5855	**N**	F	*SW*	WD	77687	62763	71691	77688
5856	**N**	F	*SW*	WD	77689	62764	71692	77690
5857	**N**	F	*SW*	WD	77691	62765	71693	77692
5858	**ST**	F	*SW*	WD	77693	62766	71694	77694
5859	**N**	F	*SW*	WD	77695	62767	71695	77696
5860	**N**	F	*SW*	WD	77697	62768	71696	77698
5861	**N**	F	*SW*	WD	77699	62769	71697	77700
5862	**N**	F	*SW*	WD	77701	62770	71698	77702
5863	**N**	F	*SW*	WD	77703	62771	71699	77704
5864	**N**	F	*SW*	WD	77705	62772	71700	77706
5865	**N**	F	*SW*	WD	77707	62773	71701	77708
5866	**N**	F	*SW*	WD	77709	62774	71702	77710
5867	**N**	F	*SW*	WD	77711	62775	71703	77712
5868	**N**	F	*SW*	WD	77713	62776	71704	77714
5869	**N**	F	*SW*	WD	77715	62777	71705	77716
5870	**N**	F	*SW*	WD	77717	62778	71706	77718
5871	**N**	F	*SW*	WD	77719	62779	71707	77720
5872	**N**	F	*SW*	WD	77721	62780	71708	77722
5873	**N**	F	*SW*	WD	77723	62781	71709	77724
5874	**N**	F	*SW*	WD	77725	62782	71710	77726

CLASS 455/9

DTSO–MSO–TSO–DTSO. Sliding doors. Disc brakes. Fluorescent lighting. Third series. Convection heating.

Bogies: BP20 (MSO), BT13 (trailer cars).
Gangways: Through gangwayed.
Traction Motors: Four EE507 of 185 kW.
Dimensions: 19.83 x 2.82 m. (outer cars), 19.92 x 2.82 m (inner cars).
Maximum Speed: 75 m.p.h.

DTSO. Dia. EE226. Lot No. 30991 York 1985. –/74. 29.5 t.
MSO. Dia. EC206. Lot No. 30992 York 1985. –/84. 45.6 t.
TSO. Dia. EH224. Lot No. 30993 York 1985. –/84. 27.1 t.
TSO n. Dia. EH224. Lot No. 30932 Derby 1981. –/84. 27.1 t.

* Chopper control.
§ Tread brakes.
c "Crossrail" interiors.
n Prototype vehicle converted from a Class 210 DEMU.

5901		**N**	P	*SW*	WD	77813	62826	71714	77814
5902		**N**	P	*SW*	WD	77815	62827	71715	77816
5903		**N**	P	*SW*	WD	77817	62828	71716	77818
5904		**N**	P	*SW*	WD	77819	62829	71717	77820
5905	c	**N**	P	*SW*	WD	77821	62830	71731	77822
5906		**N**	P	*SW*	WD	77823	62831	71719	77824
5907		**N**	P	*SW*	WD	77825	62832	71720	77826

5908		**N**	P	*SW*	WD	77827	62833	71721	77828
5909		**N**	P	*SW*	WD	77829	62834	71722	77830
5910		**N**	P	*SW*	WD	77831	62835	71723	77832
5911		**N**	P	*SW*	WD	77833	62836	71724	77834
5912	*	**N**	P	*SW*	WD	77835	62837	71725	77836
5913	§	**N**	P	*SW*	WD	77837	62838	71726	77838
5914	§	**N**	P	*SW*	WD	77839	62839	71727	77840
5915	§	**N**	P	*SW*	WD	77841	62840	71728	77842
5916	*	**N**	P	*SW*	WD	77843	62841	71729	77844
5917	*	**N**	P	*SW*	WD	77845	62842	71730	77846
5918	*c	**N**	P	*SW*	WD	77847	62843	71732	77848
5919	*	**N**	P	*SW*	WD	77849	62844	71718	77850
5920	*	**N**	P	*SW*	WD	77851	62845	71733	77852
Spare	n	**N**	P	*SW*	WD			67400	

CLASS 488 VICTORIA–GATWICK TRAILER SETS

TFOLH–TSOL (Class 488/3 only)–TSOLH. Converted 1983–84 from loco-hauled Mk. 2F FOs and TSOs for Victoria–Gatwick service. Express stock. Air conditioned. Fluorescent lighting. PA. Conversion consisted of a modified seating layout and the removal of one to
ilet to provide additional luggage space.

Bogies: B4.
Gangways: Throughout.
Dimensions: 20.12 x 2.82 m.
Maximum Speed: 90 m.p.h.

72500–72509. TFOLH. Dia. EP101. Lot No. 30859 Derby 1973–74. 41/– 1T. 35 t.
72602–14/6–8/20–44/6/7. TSOLH. Dia. EP201. Lot No. 30860 Derby 1973–74. –/48 1T. 35 t.
72615/19/45. TSOLH. Dia. EP201. Lot No. 30846 Derby 1973. –/48 1T. 35 t.
72701–72718. TSOL. Dia. EH285. Lot No. 30860 Derby 1973–74. –/48 1T. 35 t.

CLASS 488/2. TFOLH–TSOLH. Note: TFOLH fitted with public telephone.

8201	**GX**	P	*GX*	SL	72500 (3413)	92638 (6068)
8202	**GX**	P	*GX*	SL	72501 (3382)	72617 (6086)
8203	**GX**	P	*GX*	SL	72502 (3321)	72640 (6097)
8204	**GX**	P	*GX*	SL	72503 (3407)	72641 (6079)
8205	**GX**	P	*GX*	SL	72504 (3406)	72628 (6058)
8206	**GX**	P	*GX*	SL	72505 (3415)	72629 (6048)
8207	**GX**	P	*GX*	SL	72506 (3335)	72642 (6076)
8208	**GX**	P	*GX*	SL	72507 (3412)	72643 (6040)
8209	**GX**	P	*GX*	SL	72508 (3409)	72644 (6039)
8210	**GX**	P	*GX*	SL	72509 (3398)	72635 (6128)

CLASS 488/3. TSOLH–TSOL–TSOLH.

8302	**GX**	P	*GX*	SL	72602 (6130)	72701 (6088)	72604 (6087)
8303	**GX**	P	*GX*	SL	72603 (6093)	72702 (6099)	72608 (6077)
8304	**GX**	P	*GX*	SL	72606 (6084)	72703 (6075)	72611 (6083)
8305	**GX**	P	*GX*	SL	72605 (6082)	72704 (6132)	72609 (6080)

8306	**GX**	P	*GX*	SL	72607 (6020)	72705 (6032)	72610 (6074)
8307	**GX**	P	*GX*	SL	72612 (6156)	72706 (6143)	72613 (6126)
8308	**GX**	P	*GX*	SL	72614 (6090)	72707 (6127)	72615 (5938)
8309	**GX**	P	*GX*	SL	72616 (6007)	72708 (6095)	72639 (6070)
8310	**GX**	P	*GX*	SL	72618 (6044)	72709 (5982)	72619 (5909)
8311	**GX**	P	*GX*	SL	72620 (6140)	72710 (6003)	72621 (6108)
8312	**GX**	P	*GX*	SL	72622 (6004)	72711 (6109)	72623 (6118)
8313	**GX**	P	*GX*	SL	72624 (5972)	72712 (6091)	72625 (6085)
8314	**GX**	P	*GX*	SL	72626 (6017)	72713 (6023)	72627 (5974)
8315	**GX**	P	*GX*	SL	72636 (6071)	72714 (6092)	72645 (5942)
8316	**GX**	P	*GX*	SL	72630 (6094)	72715 (6019)	72631 (6096)
8317	**GX**	P	*GX*	SL	72632 (6072)	72716 (6114)	72633 (6129)
8318	**GX**	P	*GX*	SL	72634 (6089)	72717 (6069)	72637 (6098)
8319	**GX**	P	*GX*	SL	72646 (6078)	72718 (5979)	72647 (6081)

CLASS 489 VICTORIA–GATWICK GLV

Converted 1983–84 from class 414/3 (2 Hap) DMBSOs to work with class 488.

Bogies: Mk 4.
Gangways: Gangwayed at inner end only.
Traction Motors: Two EE507 of 185 kW.
Dimensions: 19.49 x 2.82 m.
Maximum Speed: 90 m.p.h.

DMLV. Dia. EX561. Lot No. 30452 Ashford/Eastleigh 1959. 40.5 t.

9101	**GX**	P	*GX*	SL	68500	(61269)
9102	**GX**	P	*GX*	SL	68501	(61281)
9103	**GX**	P	*GX*	SL	68502	(61274)
9104	**GX**	P	*GX*	SL	68503	(61277)
9105	**GX**	P	*GX*	SL	68504	(61286)
9106	**GX**	P	*GX*	SL	68505	(61299)
9107	**GX**	P	*GX*	SL	68506	(61292)
9108	**GX**	P	*GX*	SL	68507	(61267)
9109	**GX**	P	*GX*	SL	68508	(61272)
9110	**GX**	P	*GX*	SL	68509	(61280)

CLASS 456

DMSO–DTSO. Sliding doors. Disc brakes. Fluorescent lighting.

Bogies: P7 (motor) and T3 trailer.
Gangways: Within set.
Traction Motors: Two EE507 of 185 kW.
Dimensions: 19.83 x 2.82 m.
Maximum Speed: 75 m.p.h.

DMSO. Dia. EA267. Lot No. 31073 York 1990–1. –/79. 41.1 t.
DTSO. Dia. EE276. Lot No. 31074 York 1990–1. –/51. 31.4 t.

456 001	**CX**	P	*SC*	SU	64735	78250
456 002	**N**	P	*SC*	SU	64736	78251
456 003	**N**	P	*SC*	SU	64737	78252
456 004	**N**	P	*SC*	SU	64738	78253
456 005	**N**	P	*SC*	SU	64739	78254
456 006	**N**	P	*SC*	SU	64740	78255
456 007	**N**	P	*SC*	SU	64741	78256
456 008	**N**	P	*SC*	SU	64742	78257
456 009	**N**	P	*SC*	SU	64743	78258
456 010	**N**	P	*SC*	SU	64744	78259
456 011	**N**	P	*SC*	SU	64745	78260
456 012	**N**	P	*SC*	SU	64746	78261
456 013	**N**	P	*SC*	SU	64747	78262
456 014	**N**	P	*SC*	SU	64748	78263
456 015	**N**	P	*SC*	SU	64749	78264
456 016	**N**	P	*SC*	SU	64750	78265
456 017	**N**	P	*SC*	SU	64751	78266
456 018	**N**	P	*SC*	SU	64752	78267
456 019	**N**	P	*SC*	SU	64753	78268
456 020	**N**	P	*SC*	SU	64754	78269
456 021	**N**	P	*SC*	SU	64755	78270
456 022	**N**	P	*SC*	SU	64756	78271
456 023	**N**	P	*SC*	SU	64757	78272
456 024	**CX**	P	*SC*	SU	64758	78273

Note: PTSO 78273 of set 456024 is named 'Sir Cosmo Bonsor'

CLASS 458 GEC-ALSTHOM JUNIPER 4 Jop

DMSO(A)–PTSOL–TSO–DMSO(B). New units under construction for use on South West Trains. Steel bodies. IGBT control. Tightlock couplers. Sliding doors. Disc brakes.
Bogies: .
Gangways: Throughout.
Traction Motors: 4 per motor car.
Dimensions: 23.00 m x . m.
Maximum Speed: 100 m.p.h.

DMCO(A). Dia. EA . Metro-Cammell 1998. . . t.
PTSOL. Dia. EH Metro-Cammell 1998. . . t.
TSO. Dia. EH Metro-Cammell 1998. . . t.
DMCO(B). Dia. EA Metro-Cammell 1998. . t.

458 001	**ST**	P	*SW*	67601	74001	74101	67701
458 002	**ST**	P	*SW*	67602	74002	74102	67702
458 003	**ST**	P	*SW*	67603	74003	74103	67703
458 004	**ST**	P	*SW*	67604	74004	74104	67704
458 005	**ST**	P	*SW*	67605	74005	74105	67705
458 006	**ST**	P	*SW*	67606	74006	74106	67706
458 007	**ST**	P	*SW*	67607	74007	74107	67707

458 008	**ST**	P	*SW*	67608	74008	74108	67708
458 009	**ST**	P	*SW*	67609	74009	74109	67709
458 010	**ST**	P	*SW*	67610	74010	74110	67710
458 011	**ST**	P	*SW*	67611	74011	74111	67711
458 012	**ST**	P	*SW*	67612	74012	74112	67712
458 013	**ST**	P	*SW*	67613	74013	74113	67713
458 014	**ST**	P	*SW*	67614	74014	74114	67714
458 015	**ST**	P	*SW*	67615	74015	74115	67715
458 016	**ST**	P	*SW*	67616	74016	74116	67716
458 017	**ST**	P	*SW*	67617	74017	74117	67717
458 018	**ST**	P	*SW*	67618	74018	74118	67718
458 019	**ST**	P	*SW*	67619	74019	74119	67719
458 020	**ST**	P	*SW*	67620	74020	74120	67720
458 021	**ST**	P	*SW*	67621	74021	74121	67721
458 022	**ST**	P	*SW*	67622	74022	74122	67722
458 023	**ST**	P	*SW*	67623	74023	74123	67723
458 024	**ST**	P	*SW*	67624	74024	74124	67724
458 025	**ST**	P	*SW*	67625	74025	74125	67725
458 026	**ST**	P	*SW*	67626	74026	74126	67726
458 027	**ST**	P	*SW*	67627	74027	74127	67727
458 028	**ST**	P	*SW*	67628	74028	74128	67728
458 029	**ST**	P	*SW*	67629	74029	74129	67729
458 030	**ST**	P	*SW*	67630	74030	74130	67730

CLASS 460 GEC-ALSTHOM JUNIPER 4 Gat

DMLFO–TFOL–TCOL–2MSO–TSOL–MSO–DMSO. New units under construction for use on Gatwick Express. Steel bodies. IGBT control. Tightlock couplers for emergency use only. Sliding doors. Disc brakes.
Bogies: .
Gangways: Throughout.
Traction Motors: 4 per motor car.
Dimensions: 23.00 m x . m.
Maximum Speed: 100 m.p.h.

DMLFO. Dia. EA . Metro-Cammell 1999. . . t.
TFOL. Dia. EH Metro-Cammell 1999. . . t.
TCOL. Dia. EH Metro-Cammell 1999. . . t.
MSO. Dia. EH Metro-Cammell 1999. . . t.
TSOL. Dia. EH Metro-Cammell 1999. . . t.
DMSO. Dia. EA Metro-Cammell 1999. . t.

460 001	P	*GX*	67801	74201	74211	74221	74231	74241	74251	67811
460 002	P	*GX*	67802	74202	74212	74222	74232	74242	74252	67812
460 003	P	*GX*	67803	74203	74213	74223	74233	74243	74253	67813
460 004	P	*GX*	67804	74204	74214	74224	74234	74244	74254	67814
460 005	P	*GX*	67805	74205	74215	74225	74235	74245	74255	67815
460 006	P	*GX*	67806	74206	74216	74226	74236	74246	74256	67816
460 007	P	*GX*	67807	74207	74217	74227	74237	74247	74257	67817
460 008	P	*GX*	67808	74208	74218	74228	74238	74248	74258	67818

CLASS 465 NETWORKER

DMSO–TSO–TSOL–DMSO. New units with Aluminium bodies. Sliding doors. Disc, rheostatic and regenerative brakes.

Electrical Equipment: Networker.
Bogies: P3 (motor cars) and T-3 (trailers).
Gangways: Within set.
Traction Motors: Four Brush totally-enclosed squirrel-caged three-phase induction motors per car driven by four GTO inverters.
Dimensions: 20.89 x 2.82 m (outer cars), 20.06 x 2.81 m (inner cars).
Maximum Speed: 75 m.p.h.

64759–64808. DMSO(A). Dia. EA268. Lot No. 31100 BREL York 1991–3. –/86. 38.9 t.
64809–64858. DMSO(B). Dia. EA268. Lot No. 31100 BREL York 1993–2. –/86. 39 t.
65700–65749. DMSO(A). Dia. EA269. Lot No. 31103 Metro-Cammell 1991–3. –/86. 38.8 t.
65750–65799. DMSO(B). Dia. EA269. Lot No. 31103 Metro-Cammell 1991–3. –/86. 38.9 t.
65800–65846. DMSO(A). Dia. EA268. Lot No. 31130 ABB York 1993–4. –/86. 38.9 t.
65847–65893. DMSO(B). Dia. EA268. Lot No. 31130 ABB York 1993–4. –/86. 39 t.
72028–72126 (even Nos.). TSO. Dia. EH293. Lot No. 31102 BREL York 1991–3. –/86. 29.5 t.
72029–72127 (odd Nos.). TSOL. Dia. EH292. Lot No. 31101 BREL York 1991–3. –/86. 28.6 t.
72719–72817 (odd Nos.). TSOL. Dia. EH294. Lot No. 31104 Metro-Cammell 1991–2. –/86. 30.2 t.
72720–72818 (even Nos.). TSO. Dia. EH295. Lot No. 31105 Metro-Cammell 1991–2. –/86. 29.1 t.
72900–72992 (even Nos.). TSO. Dia. EH293. Lot No. 31102 ABB York 1993–4. –/86. 29.5 t.
72901–72993 (odd Nos.). TSOL. Dia. EH294. Lot No. 31101 ABB York 1993–4. –/86. 28.6 t.

Class 465/0. Built by ABB.

465 001	**NW**	F	*SE*	SG	64759	72028	72029	64809
465 002	**NW**	F	*SE*	SG	64760	72030	72031	64810
465 003	**CX**	F	*SE*	SG	64761	72032	72033	64811
465 004	**NW**	F	*SE*	SG	64762	72034	72035	64812
465 005	**NW**	F	*SE*	SG	64763	72036	72037	64813
465 006	**NW**	F	*SE*	SG	64764	72038	72039	64814
465 007	**NW**	F	*SE*	SG	64765	72040	72041	64815
465 008	**NW**	F	*SE*	SG	64766	72042	72043	64816
465 009	**NW**	F	*SE*	SG	64767	72044	72045	64817
465 010	**NW**	F	*SE*	SG	64768	72046	72047	64818
465 011	**NW**	F	*SE*	SG	64769	72048	72049	64819
465 012	**NW**	F	*SE*	SG	64770	72050	72051	64820

465 013	**NW**	F	*SE*	SG	64771	72052	72053	64821
465 014	**NW**	F	*SE*	SG	64772	72054	72055	64822
465 015	**NW**	F	*SE*	SG	64773	72056	72057	64823
465 016	**NW**	F	*SE*	SG	64774	72058	72059	64824
465 017	**NW**	F	*SE*	SG	64775	72060	72061	64825
465 018	**NW**	F	*SE*	SG	64776	72062	72063	64826
465 019	**NW**	F	*SE*	SG	64777	72064	72065	64827
465 020	**NW**	F	*SE*	SG	64778	72066	72067	64828
465 021	**NW**	F	*SE*	SG	64779	72068	72069	64829
465 022	**NW**	F	*SE*	SG	64780	72070	72071	64830
465 023	**NW**	F	*SE*	SG	64781	72072	72073	64831
465 024	**NW**	F	*SE*	SG	64782	72074	72075	64832
465 025	**NW**	F	*SE*	SG	64783	72076	72077	64833
465 026	**NW**	F	*SE*	SG	64784	72078	72079	64834
465 027	**NW**	F	*SE*	SG	64785	72080	72081	64835
465 028	**NW**	F	*SE*	SG	64786	72082	72083	64836
465 029	**NW**	F	*SE*	SG	64787	72084	72085	64837
465 030	**NW**	F	*SE*	SG	64788	72086	72087	64838
465 031	**NW**	F	*SE*	SG	64789	72088	72089	64839
465 032	**NW**	F	*SE*	SG	64790	72090	72091	64840
465 033	**NW**	F	*SE*	SG	64791	72092	72093	64841
465 034	**NW**	F	*SE*	SG	64792	72094	72095	64842
465 035	**NW**	F	*SE*	SG	64793	72096	72097	64843
465 036	**NW**	F	*SE*	SG	64794	72098	72099	64844
465 037	**NW**	F	*SE*	SG	64795	72100	72101	64845
465 038	**NW**	F	*SE*	SG	64796	72102	72103	64846
465 039	**NW**	F	*SE*	SG	64797	72104	72105	64847
465 040	**NW**	F	*SE*	SG	64798	72106	72107	64848
465 041	**NW**	F	*SE*	SG	64799	72108	72109	64849
465 042	**NW**	F	*SE*	SG	64800	72110	72111	64850
465 043	**NW**	F	*SE*	SG	64801	72112	72113	64851
465 044	**NW**	F	*SE*	SG	64802	72114	72115	64852
465 045	**NW**	F	*SE*	SG	64803	72116	72117	64853
465 046	**NW**	F	*SE*	SG	64804	72118	72119	64854
465 047	**NW**	F	*SE*	SG	64805	72120	72121	64855
465 048	**NW**	F	*SE*	SG	64806	72122	72123	64856
465 049	**NW**	F	*SE*	SG	64807	72124	72125	64857
465 050	**NW**	F	*SE*	SG	64808	72126	72127	64858

Class 465/2. Built by Metro-Cammell.

465 151	**NW**	F	*SE*	SG	65800	72900	72901	65847
465 152	**NW**	F	*SE*	SG	65801	72902	72903	65848
465 153	**NW**	F	*SE*	SG	65802	72904	72905	65849
465 154	**NW**	F	*SE*	SG	65803	72906	72907	65850
465 155	**NW**	F	*SE*	SG	65804	72908	72909	65851
465 156	**NW**	F	*SE*	SG	65805	72910	72911	65852
465 157	**NW**	F	*SE*	SG	65806	72912	72913	65853
465 158	**NW**	F	*SE*	SG	65807	72914	72915	65854
465 159	**NW**	F	*SE*	SG	65808	72916	72917	65855
465 160	**NW**	F	*SE*	SG	65809	72918	72919	65856
465 161	**NW**	F	*SE*	SG	65810	72920	72921	65857

465 162	**NW**	F	*SE*	SG	65811	72922	72923	65858
465 163	**NW**	F	*SE*	SG	65812	72924	72925	65859
465 164	**NW**	F	*SE*	SG	65813	72926	72927	65860
465 165	**NW**	F	*SE*	SG	65814	72928	72929	65861
465 166	**NW**	F	*SE*	SG	65815	72930	72931	65862
465 167	**NW**	F	*SE*	SG	65816	72932	72933	65863
465 168	**NW**	F	*SE*	SG	65817	72934	72935	65864
465 169	**NW**	F	*SE*	SG	65818	72936	72937	65865
465 170	**NW**	F	*SE*	SG	65819	72938	72939	65866
465 171	**NW**	F	*SE*	SG	65820	72940	72941	65867
465 172	**NW**	F	*SE*	SG	65821	72942	72943	65868
465 173	**NW**	F	*SE*	SG	65822	72944	72945	65869
465 174	**NW**	F	*SE*	SG	65823	72946	72947	65870
465 175	**NW**	F	*SE*	SG	65824	72948	72949	65871
465 176	**NW**	F	*SE*	SG	65825	72950	72951	65872
465 177	**NW**	F	*SE*	SG	65826	72952	72953	65873
465 178	**NW**	F	*SE*	SG	65827	72954	72955	65874
465 179	**NW**	F	*SE*	SG	65828	72956	72957	65875
465 180	**NW**	F	*SE*	SG	65829	72958	72959	65876
465 181	**NW**	F	*SE*	SG	65830	72960	72961	65877
465 182	**NW**	F	*SE*	SG	65831	72962	72963	65878
465 183	**NW**	F	*SE*	SG	65832	72964	72965	65879
465 184	**NW**	F	*SE*	SG	65833	72966	72967	65880
465 185	**NW**	F	*SE*	SG	65834	72968	72969	65881
465 186	**NW**	F	*SE*	SG	65835	72970	72971	65882
465 187	**NW**	F	*SE*	SG	65836	72972	72973	65883
465 188	**NW**	F	*SE*	SG	65837	72974	72975	65884
465 189	**NW**	F	*SE*	SG	65838	72976	72977	65885
465 190	**NW**	F	*SE*	SG	65839	72978	72979	65886
465 191	**NW**	F	*SE*	SG	65840	72980	72981	65887
465 192	**NW**	F	*SE*	SG	65841	72982	72983	65888
465 193	**NW**	F	*SE*	SG	65842	72984	72985	65889
465 194	**NW**	F	*SE*	SG	65843	72986	72987	65890
465 195	**NW**	F	*SE*	SG	65844	72988	72989	65891
465 196	**NW**	F	*SE*	SG	65845	72990	72991	65892
465 197	**NW**	F	*SE*	SG	65846	72992	72993	65893
465 201	**NW**	F	*SE*	SG	65700	72719	72720	65750
465 202	**NW**	F	*SE*	SG	65701	72721	72722	65751
465 203	**NW**	F	*SE*	SG	65702	72723	72724	65752
465 204	**NW**	F	*SE*	SG	65703	72725	72726	65753
465 205	**NW**	F	*SE*	SG	65704	72727	72728	65754
465 206	**NW**	F	*SE*	SG	65705	72729	72730	65755
465 207	**NW**	F	*SE*	SG	65706	72731	72732	65756
465 208	**NW**	F	*SE*	SG	65707	72733	72734	65757
465 209	**NW**	F	*SE*	SG	65708	72735	72736	65758
465 210	**NW**	F	*SE*	SG	65709	72737	72738	65759
465 211	**NW**	F	*SE*	SG	65710	72739	72740	65760
465 212	**NW**	F	*SE*	SG	65711	72741	72742	65761
465 213	**NW**	F	*SE*	SG	65712	72743	72744	65762
465 214	**NW**	F	*SE*	SG	65713	72745	72746	65763
465 215	**NW**	F	*SE*	SG	65714	72747	72748	65764

Royal Mail liveried Class 325 No. 325 010 passes Low Gill on 11th July 1997 with a Glasgow to Crewe empty stock working.
Kevin Conkey

▲ Connex liveried Class 365s Nos. 365 505 and 365 504 enter Chatham with the 11.05 London Victoria–Ramsgate fast service. The unit has had yellow vinyls applied to the lower bodyside to hide the Network SouthEast stripes but retains the blue around the windows. **David Brown**

▼ Class 411/5 (4 Cep) units. Nos. 1699 and 1698 depart from Redhill with the 07.45 Three Bridges–London Bridge on 28th July 1997. **David Brown**

▲ Class 421/3 (4 Cig) No. 1726 leads 2259 and 1719 passing Earlswood with the 15.17 Victoria–Bournemouth/Littlehampton/Eastbourne on 21st July 1997.
David Brown

▼ Stagecoach liveried Class 442 No. 2402 leaves Clapham Junction on 8th May 1996 with the 11.50 London Waterloo–Poole. **Kevin Conkey**

▲ Class 423/0 No. 3433 runs through Surbiton on 10th July 1996 with an ECS for Hampton Court. **Colin J. Marsden**

▼ Gatwick Express liveried Class 488/3 TSOL No. 72715 of set 8316 approaches Clapham Junction on 8th May 1996 as part of the 10.50 Gatwick Airport–London Victoria. **Kevin Conkey**

South West Trains Stagecoach liveried Class 455/7 No. 5726 and Network SouthEast liveried No. 5717 depart from New Malden on 6th September 1997 with the 08.33 London Waterloo–Richmond–Waterloo service. **David Brown**

▲ On the last day of Wimbledon to West Croydon services, 31st May 1997, Class 456 No. 456 017 stands at West Croydon with the 09.15 to Wimbledon.

Chris Wilson

▼ Class 466 No. 466 040 and Class 465 No. 465 224 leave London Bridge on 22nd March 1997 with the 12.20 London Charing Cross–Orpington.

Kevin Conkey

▲ Merseytravel liveried Class 507 No. 507 005 at Ainsdale with a Southport to Liverpool Central service on 10th August 1997. **Martyn Hilbert**

▼ Island Line Class 483 No. 006 at Sandown with the 15.45 Ryde Pier Head–Shanklin on 21st July 1997. **Martyn Hilbert**

Eurostar Class 373 set No. 3019 leads the 08.53 London Waterloo–Paris Nord at Westenhanger on 4th April 1997.
Michael J. Collins

465 216	**NW**	F	*SE*	SG	65715	72749	72750	65765
465 217	**NW**	F	*SE*	SG	65716	72751	72752	65766
465 218	**NW**	F	*SE*	SG	65717	72753	72754	65767
465 219	**NW**	F	*SE*	SG	65718	72755	72756	65768
465 220	**NW**	F	*SE*	SG	65719	72757	72758	65769
465 221	**NW**	F	*SE*	SG	65720	72759	72760	65770
465 222	**NW**	F	*SE*	SG	65721	72761	72762	65771
465 223	**NW**	F	*SE*	SG	65722	72763	72764	65772
465 224	**NW**	F	*SE*	SG	65723	72765	72766	65773
465 225	**NW**	F	*SE*	SG	65724	72767	72768	65774
465 226	**NW**	F	*SE*	SG	65725	72769	72770	65775
465 227	**NW**	F	*SE*	SG	65726	72771	72772	65776
465 228	**NW**	F	*SE*	SG	65727	72773	72774	65777
465 229	**NW**	F	*SE*	SG	65728	72775	72776	65778
465 230	**NW**	F	*SE*	SG	65729	72777	72778	65779
465 231	**NW**	F	*SE*	SG	65730	72779	72780	65780
465 232	**NW**	F	*SE*	SG	65731	72781	72782	65781
465 233	**NW**	F	*SE*	SG	65732	72783	72784	65782
465 234	**NW**	F	*SE*	SG	65733	72785	72786	65783
465 235	**NW**	F	*SE*	SG	65734	72787	72788	65784
465 236	**NW**	F	*SE*	SG	65735	72789	72790	65785
465 237	**NW**	F	*SE*	SG	65736	72791	72792	65786
465 238	**NW**	F	*SE*	SG	65737	72793	72794	65787
465 239	**NW**	F	*SE*	SG	65738	72795	72796	65788
465 240	**NW**	F	*SE*	SG	65739	72797	72798	65789
465 241	**NW**	F	*SE*	SG	65740	72799	72800	65790
465 242	**NW**	F	*SE*	SG	65741	72801	72802	65791
465 243	**NW**	F	*SE*	SG	65742	72803	72804	65792
465 244	**NW**	F	*SE*	SG	65743	72805	72806	65793
465 245	**NW**	F	*SE*	SG	65744	72807	72808	65794
465 246	**NW**	F	*SE*	SG	65745	72809	72810	65795
465 247	**NW**	F	*SE*	SG	65746	72811	72812	65796
465 248	**NW**	F	*SE*	SG	65747	72813	72814	65797
465 249	**NW**	F	*SE*	SG	65748	72815	72816	65798
465 250	**NW**	F	*SE*	SG	65749	72817	72818	65799

CLASS 466 NETWORKER

DMSO–DTSO. New units with Aluminium bodies. Sliding doors. Disc, rheostatic and regenerative brakes.

Electrical Equipment: Networker.
Bogies: P3 (motor car) and T3 (trailer).
Gangways: Within set.
Traction Motors: Four Brush totally-enclosed squirrel-caged three-phase induction motors per car driven by four GTO inverters.
Dimensions: 20.89 x 2.82 m.
Maximum Speed: 75 m.p.h.

DMSO. Dia. EA271. Lot No. 31128 Metro-Cammell 1992–3. –/86. 39.2 t.
DTSO. Dia. EE279. Lot No. 31129 Metro-Cammell 1991–2. –/82. 33.2 t.

466 001	**NW**	F	*SE*	SG	64860	78312
466 002	**NW**	F	*SE*	SG	64861	78313
466 003	**NW**	F	*SE*	SG	64862	78314
466 004	**NW**	F	*SE*	SG	64863	78315
466 005	**NW**	F	*SE*	SG	64864	78316
466 006	**NW**	F	*SE*	SG	64865	78317
466 007	**NW**	F	*SE*	SG	64866	78318
466 008	**NW**	F	*SE*	SG	64867	78319
466 009	**NW**	F	*SE*	SG	64868	78320
466 010	**NW**	F	*SE*	SG	64869	78321
466 011	**NW**	F	*SE*	SG	64870	78322
466 012	**NW**	F	*SE*	SG	64871	78323
466 013	**NW**	F	*SE*	SG	64872	78324
466 014	**NW**	F	*SE*	SG	64873	78325
466 015	**NW**	F	*SE*	SG	64874	78326
466 016	**NW**	F	*SE*	SG	64875	78327
466 017	**NW**	F	*SE*	SG	64876	78328
466 018	**NW**	F	*SE*	SG	64877	78329
466 019	**NW**	F	*SE*	SG	64878	78330
466 020	**NW**	F	*SE*	SG	64879	78331
466 021	**NW**	F	*SE*	SG	64880	78332
466 022	**NW**	F	*SE*	SG	64881	78333
466 023	**NW**	F	*SE*	SG	64882	78334
466 024	**NW**	F	*SE*	SG	64883	78335
466 025	**NW**	F	*SE*	SG	64884	78336
466 026	**NW**	F	*SE*	SG	64885	78337
466 027	**NW**	F	*SE*	SG	64886	78338
466 028	**NW**	F	*SE*	SG	64887	78339
466 029	**NW**	F	*SE*	SG	64888	78340
466 030	**NW**	F	*SE*	SG	64889	78341
466 031	**NW**	F	*SE*	SG	64890	78342
466 032	**NW**	F	*SE*	SG	64891	78343
466 033	**NW**	F	*SE*	SG	64892	78344
466 034	**NW**	F	*SE*	SG	64893	78345
466 035	**NW**	F	*SE*	SG	64894	78346
466 036	**NW**	F	*SE*	SG	64895	78347
466 037	**NW**	F	*SE*	SG	64896	78348
466 038	**NW**	F	*SE*	SG	64897	78349
466 039	**NW**	F	*SE*	SG	64898	78350
466 040	**NW**	F	*SE*	SG	64899	78351
466 041	**NW**	F	*SE*	SG	64900	78352
466 042	**NW**	F	*SE*	SG	64901	78353
466 043	**NW**	F	*SE*	SG	64902	78354

CLASS 483 'NEW' ISLE OF WIGHT STOCK

DMBSO(A)–DMBSO(B). Built 1938 onwards for LTE. Converted 1989–90 for Isle of Wight Line. Sliding doors. End doors. Former London Underground numbers are shown in parentheses.

System: 660 V d.c. third rail.
Gangways: Non-gangwayed.
Traction Motors: Two of 130 kW.
Dimensions: 15.95 x 2.69 m.
Maximum Speed: 45 m.p.h.

DMSO (A). Lot No. 31071. Dia. EA265. –/42. 27.5 t.
DMSO (B). Lot No. 31072. Dia. EA266. –/42. 27.5 t.

483 001	**NW**	A		RY	121	(10184)	221	(11221)
483 002	**NW**	A	*IL*	RY	122	(10221)	222	(11142)
483 003	**NW**	A		RY	123	(10116)	223	(11184)
483 004	**NW**	A		RY	124	(10205)	224	(11205)
483 005	**NW**	A		RY	125	(10142)	225	(11116)
483 006	**NW**	A		RY	126	(10297)	226	(11297)
483 007	**NW**	A	*IL*	RY	127	(10291)	227	(11291)
483 008	**NW**	A	*IL*	RY	128	(10255)	228	(11255)
483 009	**NW**	A	*IL*	RY	129	(10289)	229	(11229)

CLASS 507

BDMSO–TSO–DMSO. Tightlock couplers. Sliding doors. Disc and rheostatic brakes.
System: 750 V d.c. third rail.
Bogies: BX1.
Gangways: Gangwayed within umit. End doors.
Traction Motors: Four GEC G310AZ of 82.125 kW per car.
Dimensions: 19.80 x 2.82 m (outer cars), 19.92 x 2.82 m (inner cars).
Maximum Speed: 75 m.p.h.

BDMSO. Dia. EI202. Lot No. 30906 York 1978–80. –/74 (–/68*). 37.06 t.
TSO. Dia. EH205. Lot No. 30907 York 1978–80. –/82 (–/86*). 25.60 t.
DMSO. Dia. EA201. Lot No. 30908 York 1978–80. –/74 (–/68*). 35.62 t.

507 001		**MT**	A	*ME*	BD	64367	71342	64405
507 002		**MT**	A	*ME*	BD	64368	71343	64406
507 003		**MT**	A	*ME*	BD	64369	71344	64407
507 004		**MT**	A	*ME*	BD	64370	71345	64408
507 005		**MT**	A	*ME*	BD	64371	71346	64409
507 006	*	**MT**	A	*ME*	BD	64372	71347	64410
507 007		**MT**	A	*ME*	BD	64373	71348	64411
507 008		**MT**	A	*ME*	BD	64374	71349	64412
507 009		**MT**	A	*ME*	BD	64375	71350	64413
507 010		**MT**	A	*ME*	BD	64376	71351	64414
507 011		**MT**	A	*ME*	BD	64377	71352	64415
507 012		**MT**	A	*ME*	BD	64378	71353	64416

507 013		**MT**	A	*ME*	BD	64379 71354 64417
507 014		**MT**	A	*ME*	BD	64380 71355 64418
507 015		**MT**	A	*ME*	BD	64381 71356 64419
507 016		**MT**	A	*ME*	BD	64382 71357 64420
507 017	*	**MT**	A	*ME*	BD	64383 71358 64421
507 018		**MT**	A	*ME*	BD	64384 71359 64422
507 019		**MT**	A	*ME*	BD	64385 71360 64423
507 020		**MT**	A	*ME*	BD	64386 71361 64424
507 021		**MT**	A	*ME*	BD	64387 71362 64425
507 023		**MT**	A	*ME*	BD	64389 71364 64427
507 024	*	**MT**	A	*ME*	BD	64390 71365 64428
507 025		**MT**	A	*ME*	BD	64391 71366 64429
507 026		**MT**	A	*ME*	BD	64392 71367 64430
507 027		**MT**	A	*ME*	BD	64393 71368 64431
507 028		**MT**	A	*ME*	BD	64394 71369 64432
507 029		**MT**	A	*ME*	BD	64395 71370 64433
507 030		**MT**	A	*ME*	BD	64396 71371 64434
507 031		**MT**	A	*ME*	BD	64397 71372 64435
507 032		**MT**	A	*ME*	BD	64398 71373 64436
507 033		**MT**	A	*ME*	BD	64399 71374 64437

CLASS 508

DMSO–TSO–BDMSO. Tightlock couplers. Sliding doors. Disc and rheostatic brakes. Originally built as 4-car units and numbered 508 001–043. One trailer removed and used for Class 455/7 on transfer from the former Southern Region of BR. Certain of these units are being transferred to Connex South Eastern.
System: 750 V d.c. third rail.
Bogies: BX1.
Gangways: Gangwayed within umit. End doors.
Traction Motors: Four GEC G310AZ of 82.125 kW per car.
Dimensions: 19.80 x 2.82 m (outer cars), 19.92 x 2.82 m (inner cars).
Maximum Speed: 75 m.p.h.

DMSO. Dia. EA208. Lot No. 30979 York 1979–80. –/74. 36.15 t.
TSO. Dia. EH218. Lot No. 30980 York 1979–80. –/82. 26.72 t.
BDMSO. Dia. EI203. Lot No. 30981 York 1979–80. –/74. 36.61 t.

508 101		A		ZG	64649 71483 64692
508 102	**MT**	A	*ME*	Kirkdale (S)	64650 71484 64693
508 103	**MT**	A	*ME*	BD	64651 71485 64694
508 104	**MT**	A	*ME*	BD	64652 71486 64695
508 105		A		ZG	64653 71487 64696
508 106		A		KI	64654 71488 64697
508 107		A		KI	64655 71489 64698
508 108		A	*ME*	West Kirby (S)	64656 71490 64699
508 109		A		KI	64657 71491 64700
508 110	**MT**	A	*ME*	BD	64658 71492 64701
508 111	**MT**	A	*ME*	BD	64659 71493 64702
508 112	**MT**	A	*ME*	BD	64660 71494 64703

508 113		A		Kirkdale (S)	64661 71495 64704
508 114	**MT**	A	*ME*	BD	64662 71496 64705
508 115	**MT**	A	*ME*	BD	64663 71497 64706
508 116		A		KI	64664 71498 64707
508 117	**MT**	A	*ME*	BD	64665 71499 64708
508 118	**MT**	A	*ME*	BD	64666 71500 64709
508 119		A		KI	64667 71501 64710
508 120	**MT**	A	*ME*	BD	64668 71502 64711
508 121		A		ZG	64669 71503 64712
508 122	**MT**	A	*ME*	Weat Kirby (S)	64670 71504 64713
508 123	**MT**	A	*ME*	West Kirby (S)	64671 71505 64714
508 124	**MT**	A	*ME*	BD	64672 71506 64715
508 125	**MT**	A	*ME*	BD	64673 71507 64716
508 126	**MT**	A	*ME*	BD	64674 71508 64717
508 127	**MT**	A	*ME*	BD	64675 71509 64718
508 128	**MT**	A	*ME*	KD (S)	64676 71510 64719
508 129		A		Southport CS (S)	64677 71511 64720
508 130	**MT**	A	*ME*	BD	64678 71512 64721
508 131	**MT**	A	*ME*	BD	64679 71513 64722
508 132		A		ZG	64680 71514 64723
508 133		A		ZG	64681 71515 64724
508 134	**MT**	A	*ME*	BD	64682 71516 64725
508 135	**MT**	A	*ME*	Southport CS (S)	64683 71517 64726
508 136	**MT**	A	*ME*	BD	64684 71518 64727
508 137	**MT**	A	*ME*	BD	64685 71519 64728
508 138	**MT**	A	*ME*	BD	64686 71520 64729
508 139	**MT**	A	*ME*	BD	64687 71521 64730
508 140	**MT**	A	*ME*	BD	64688 71522 64731
508 141	**MT**	A	*ME*	BD	64689 71523 64732
508 142	**MT**	A	*ME*	Kirkdale (S)	64690 71524 64733
508 143	**MT**	A	*ME*	BD	64691 71525 64734

3. EUROSTAR SETS (CLASS 373)

Eurostar sets work services through the Channel Tunnel between London and Paris and Brussels. They are based on the French TGV design concept, and the individual cars are numbered like French TGVs. Each train consists of two 9-coach sets back-to-back with a power car at the outer end. Regional sets for operation north of London consist of two 7-coach half-sets.All sets are articulated with an extra motor bogie on the coach next to the power car. Coaches are numbered R1–R9 (and in traffic R10–R18 in the second set). Coaches R18–R10 are identical to R1–R9.

Note: The pairs of sets are also known by designations as follows:
F/FN – Assembled in France, UK/UN – Assembled in the UK.
Systems: 25 kV a.c. overhead, 3000 V d.c. overhead and 750 V d.c. third rail.
* Also fitted for 1500 V d.c. operation.

BR Sets:

3001	F15	LC	*ES*	PI	3730010	3730011	3730012	3730013
3002	F15	LC	*ES*	PI	3730020	3730021	3730022	3730023
3003	UK3	LC	*ES*	PI	3730030	3730031	3730032	3730033
3004	UK3	LC	*ES*	PI	3730040	3730041	3730042	3730043
3005	UK4	LC	*ES*	PI	3730050	3730051	3730052	3730053
3006	UK4	LC	*ES*	PI	3730060	3730061	3730062	3730063
3007	UK5	LC	*ES*	PI	3730070	3730071	3730072	3730073
3008	UK5	LC	*ES*	PI	3730080	3730081	3730082	3730083
3009	UK8	LC	*ES*	PI	3730090	3730091	3730092	3730093
3010	UK8	LC	*ES*	PI	3730100	3730101	3730102	3730103
3011	UK9	LC	*ES*	PI	3730110	3730111	3730112	3730113
3012	UK9	LC	*ES*	PI	3730120	3730121	3730122	3730123
3013	UK10	LC	*ES*	PI	3730130	3730131	3730132	3730133
3014	UK10	LC	*ES*	PI	3730140	3730141	3730142	3730143
3015	UK11	LC	*ES*	PI	3730150	3730151	3730152	3730153
3016	UK11	LC	*ES*	PI	3730160	3730161	3730162	3730163
3017	UK12	LC	*ES*	PI	3730170	3730171	3730172	3730173
3018	UK12	LC	*ES*	PI	3730180	3730181	3730182	3730183
3019	UK14	LC	*ES*	PI	3730190	3730191	3730192	3730193
3020	UK14	LC	*ES*	PI	3730200	3730201	3730202	3730203
3021	UK15	LC	*ES*	PI	3730210	3730211	3730212	3730213
3022	UK15	LC	*ES*	PI	3730220	3730221	3730222	3730223
3999		LC	*ES*	PI	3739990	Spare power car.		

SNCB/NMBS Sets:

3101	UK1	CB	*ES*	FF	3731010	3731011	3731012	3731013
3102	UK1	CB	*ES*	FF	3731020	3731021	3731022	3731023
3103	UK2	CB	*ES*	FF	3731030	3731031	3731032	3731033
3104	UK2	CB	*ES*	FF	3731040	3731041	3731042	3731043
3105	UK6	CB	*ES*	FF	3731050	3731051	3731052	3731053
3106	UK6	CB	*ES*	FF	3731060	3731061	3731062	3731063
3107	UK7	CB	*ES*	FF	3731070	3731071	3731072	3731073
3108	UK7	CB	*ES*	FF	3731080	3731081	3731082	3731083

Built: 1992–3 by GEC Alsthom at various works.
Wheel Arrangement: Bo–Bo + Bo–2–2–2–2–2–2–2–2–2.
Length: 22.15 + 21.845 + (7 x 18.70) + 21.845 m.
Max. Speed: 300 km/h (187.5 m.p.h.).
Livery: White with dark blue window band roof and yellow bodysides.

Car	*Type*	*Lot No.*	*Accommodation*
M	DM	31118	
R1	MSOL	31119	–/48 + 3 tip-up 2T
R2	TSOL	31120	–/58 + 4 tip-up 1T + train manager's compartment.
R3	TSOL	31121	–/58 + 4 tip-up 2T
R4	TSOL	31122	–/58 + 4 tip-up 1T + public telephone
R5	TSOL	31123	–/58 + 4 tip-up 2T
R6	RB	31124	Kitchen/bar
R7	TFOL	31125	39/– + 3 tip-up + 1 settee 1T
R8	TFOL	31126	39/– + 3 tip-up + 1 settee 1T + public telephone.
R9	TBFOL	31127	25/– + 1 tip-up + 1 settee 1DT + staff compartment.

3730014 3730015 3730016 3730017 3730018 3730019
3730024 3730025 3730026 3730027 3730028 3730029
3730034 3730035 3730036 3730037 3730038 3730039
3730044 3730045 3730046 3730047 3730048 3730049
3730054 3730055 3730056 3730057 3730058 3730059
3730064 3730065 3730066 3730067 3730068 3730069
3730074 3730075 3730076 3730077 3730078 3730079
3730084 3730085 3730086 3730087 3730088 3730089
3730094 3730095 3730096 3730097 3730098 3730099
3730104 3730105 3730106 3730107 3730108 3730109
3730114 3730115 3730116 3730117 3730118 3730119
3730124 3730125 3730126 3730127 3730128 3730129
3730134 3730135 3730136 3730137 3730138 3730139
3730144 3730145 3730146 3730147 3730148 3730149
3730154 3730155 3730156 3730157 3730158 3730159
3730164 3730165 3730166 3730167 3730168 3730169
3730174 3730175 3730176 3730177 3730178 3730179
3730184 3730185 3730186 3730187 3730188 3730189
3730194 3730195 3730196 3730197 3730198 3730199
3730204 3730205 3730206 3730207 3730208 3730209
3730214 3730215 3730216 3730217 3730218 3730219
3730224 3730225 3730226 3730227 3730228 3730229

3731014 3731015 3731016 3731017 3731018 3731019
3731024 3731025 3731026 3731027 3731028 3731029
3731034 3731035 3731036 3731037 3731038 3731039
3731044 3731045 3731046 3731047 3731048 3731049
3731054 3731055 3731056 3731057 3731058 3731059
3731064 3731065 3731066 3731067 3731068 3731069
3731074 3731075 3731076 3731077 3731078 3731079
3731084 3731085 3731086 3731087 3731088 3731089

SNCF Sets:

3201	F16	CF	*ES*	LY	3732010	3732011	3732012	3732013
3202	F16	CF	*ES*	LY	3732020	3732021	3732022	3732023
3203*	F1	CF	*ES*	LY	3732030	3732031	3732032	3732033
3204*	F1	CF	*ES*	LY	3732040	3732041	3732042	3732043
3205	F2	CF	*ES*	LY	3732050	3732051	3732052	3732053
3206	F2	CF	*ES*	LY	3732060	3732061	3732062	3732063
3207*	F3	CF	*ES*	LY	3732070	3732071	3732072	3732073
3208*	F3	CF	*ES*	LY	3732080	3732081	3732082	3732083
3209	F4	CF	*ES*	LY	3732090	3732091	3732092	3732093
3210	F4	CF	*ES*	LY	3732100	3732101	3732102	3732103
3211	F5	CF	*ES*	LY	3732110	3732111	3732112	3732113
3212	F5	CF	*ES*	LY	3732120	3732121	3732122	3732123
3213	F6	CF	*ES*	LY	3732130	3732131	3732132	3732133
3214	F6	CF	*ES*	LY	3732140	3732141	3732142	3732143
3215*	F7	CF	*ES*	LY	3732150	3732151	3732152	3732153
3216*	F7	CF	*ES*	LY	3732160	3732161	3732162	3732163
3217	F8	CF	*ES*	LY	3732170	3732171	3732172	3732173
3218	F8	CF	*ES*	LY	3732180	3732181	3732182	3732183
3219	F9	CF	*ES*	LY	3732190	3732191	3732192	3732193
3220	F9	CF	*ES*	LY	3732200	3732201	3732202	3732203
3221	F10	CF	*ES*	LY	3732210	3732211	3732212	3732213
3222	F10	CF	*ES*	LY	3732220	3732221	3732222	3732223
3223	F11	CF	*ES*	LY	3732230	3732231	3732232	3732233
3224	F11	CF	*ES*	LY	3732240	3732241	3732242	3732243
3225*	F12	CF	*ES*	LY	3732250	3732251	3732252	3732253
3226*	F12	CF	*ES*	LY	3732260	3732261	3732262	3732263
3227*	F13	CF	*ES*	LY	3732270	3732271	3732272	3732273
3228*	F13	CF	*ES*	LY	3732280	3732281	3732282	3732283
3229	F14	CF	*ES*	LY	3732290	3732291	3732292	3732293
3230	F14	CF	*ES*	LY	3732300	3732301	3732302	3732303
3231	UK13	CF	*ES*	LY	3732310	3732311	3732312	3732313
3232	UK13	CF	*ES*	LY	3732320	3732321	3732322	3732323

'Regional Eurostar' Sets for services from the North of England & Scotland: These are 7 coach sets consisting of PC + R1/3/2/5/6/7/9 only.

3301	FN1	LC	*ES*	PI	3733010	3733011	3733013	3733012
3302	FN1	LC	*ES*	PI	3733020	3733021	3733023	3733022
3303	FN2	LC	*ES*	PI	3733030	3733031	3733033	3733032
3304	FN2	LC	*ES*	PI	3733040	3733041	3733043	3733042
3305	UN1	LC	*ES*	PI	3733050	3733051	3733053	3733052
3306	UN1	LC	*ES*	PI	3733060	3733061	3733063	3733062
3307	UN2	LC	*ES*	PI	3733070	3733071	3733073	3733072
3308	UN2	LC	*ES*	PI	3733080	3733081	3733083	3733082
3309	UN3	LC	*ES*	PI	3733090	3733091	3733093	3733092
3310	UN3	LC	*ES*	PI	3733100	3733101	3733103	3733102
3311	UN4	LC	*ES*	PI	3733110	3733111	3733113	3733112
3312	UN4	LC	*ES*	PI	3733120	3733121	3733123	3733122
3313	UN5	LC	*ES*	PI	3733130	3733131	3733133	3733132
3314	UN5	LC	*ES*	PI	3733140	3733141	3733143	3733142

3732014 3732015 3732016 3732017 3732018 3732019
3732024 3732025 3732026 3732027 3732028 3732029
3732034 3732035 3732036 3732037 3732038 3732039
3732044 3732045 3732046 3732047 3732048 3732049
3732054 3732055 3732056 3732057 3732058 3732059
3732064 3732065 3732066 3732067 3732068 3732069
3732074 3732075 3732076 3732077 3732078 3732079
3732084 3732085 3732086 3732087 3732088 3732089
3732094 3732095 3732096 3732097 3732098 3732099
3732104 3732105 3732106 3732107 3732108 3732109
3732114 3732115 3732116 3732117 3732118 3732119
3732124 3732125 3732126 3732127 3732128 3732129
3732134 3732135 3732136 3732137 3732138 3732139
3732144 3732145 3732146 3732147 3732148 3732149
3732154 3732155 3732156 3732157 3732158 3732159
3732164 3732165 3732166 3732167 3732168 3732169
3732174 3732175 3732176 3732177 3732178 3732179
3732184 3732185 3732186 3732187 3732188 3732189
3732194 3732195 3732196 3732197 3732198 3732199
3732204 3732205 3732206 3732207 3732208 3732209
3732214 3732215 3732216 3732217 3732218 3732219
3732224 3732225 3732226 3732227 3732228 3732229
3732234 3732235 3732236 3732237 3732238 3732239
3732244 3732245 3732246 3732247 3732248 3732249
3732254 3732255 3732256 3732257 3732258 3732259
3732264 3732265 3732266 3732267 3732268 3732269
3732274 3732275 3732276 3732277 3732278 3732279
3732284 3732285 3732286 3732287 3732288 3732289
3732294 3732295 3732296 3732297 3732298 3732299
3732304 3732305 3732306 3732307 3732308 3732309
3732314 3732315 3732316 3732317 3732318 3732319
3732324 3732325 3732326 3732327 3732328 3732329

3733015 3733016 3733017 3733019
3733025 3733026 3733027 3733029
3733035 3733036 3733037 3733039
3733045 3733046 3733047 3733049
3733055 3733056 3733057 3733059
3733065 3733066 3733067 3733069
3733075 3733076 3733077 3733079
3733085 3733086 3733087 3733089
3733095 3733096 3733097 3733099
3733105 3733106 3733107 3733109
3733115 3733116 3733117 3733119
3733125 3733126 3733127 3733129
3733135 3733136 3733137 3733139
3733145 3733146 3733147 3733149

4. SERVICE STOCK

INDIVIDUAL VEHICLES.

		SO	*TE*	ZA	977335	(76277)	MTA Pool Generator coach for DB999550.
	RT	RT	*SU*	RE	977364	(10400)	Works with DEMU 930 301.
930 078	**RT**	RT	*SA*	HE	977578	(77101)	Works with Class 313/317.
930 079		RT	*SA*	SU	977579	(77109)	Works with Class 319.
	0	SO	*TE*	ZA	999602	(62483)	Works with DMU 977391/2.

COMPLETE UNITS

Note: Some service units do not carry '93x' numbers.

Class 930/0. Sandite & De-icing Units. 750 V d.c. SR design.

930 001	**RT**	RT	*DI*	FR	975604	(10939)	975605	(10940)
930 002	**RT**	RT	*DI*	RE	975896	(11387)	975897	(11388)
930 003	**RT**	RT	*DI*	SU	975594	(12658)	975595	(10904)
930 004	**RT**	RT	*DI*	WD	975586	(10907)	975587	(10908)
930 005	**RT**	RT	*DI*	WD	975588	(10981)	975589	(10982)
930 006	**RT**	RT	*DI*	WD	975590	(10833)	975591	(10834)
930 007	**RT**	RT	*DI*	GI	975592	(10933)	975593	(12659)
930 008	**N**	RT	*DI*	GI	975596	(10844)	975597	(10987)
930 009	**RT**	RT	*DI*	SU	975598	(10989)	975599	(10990)
930 010		RT	*DI*	BI	975600	(10988)	975601	(10843)
930 011	**RT**	RT	*DI*	SU	975602	(10991)	975603	(10992)

Class 930/1. Tractor Unit. 750 V d.c. BR design.

930 101	**RT**	RT		WD	977609	(65414)	977207	(61658)

Class 930/1. Sandite Unit. 750 V d.c. SR design.

930 102		RT	*SA*	FR	977533	(14273)	977534	(14384)

Class 930/2. Sandite & De-icing Units. 750 V d.c. BR design.

930 201	**RT**	RT	*DI*	BM	977566	(65312)	977567	(65314)
930 202	**RT**	RT	*DI*	FR	977804	(65336)	977805	(65357)
930 203	**RT**	RT	*DI*	RE	977864	(65341)	977865	(65355)
930 204	**RT**	RT	*DI*	RE	977874	(65302)	977875	(65304)
930 205	**RT**	RT	*DI*	RE	977871	(65353)	977872	(65367)
930 206	**RT**	RT	*DI*	WD	977924	(65382)	977925	(65379)

Classes 930 & 931. Route Learning Units. BR design.

930 082	**CX**	CX	*CR*	SU	977861	(61044)	977862	(70039)
					977863	(61038)		
931 001	**N**	RT	*CR*	SL	977857	(65346)	977856	(77531)
931 002	**N**	LC	*CR*	RE	977917	(65331)	977918	(77516)

Class 936/0. Sandite Unit Merseyrail 750 V d.c. Unit (ex Class 501).

936 003	**MD**	RT	*SA*	BD	977349	(61183)	977350	(75183)

Class 936/1. Sandite Units. 25 kV a.c. Units (ex Class 311).

936 103	**RT**	RT	*SA*	GW	977844	(76414)	977845	(62174)
					977846	(76433)		
936 104	**RT**	RT	*SA*	GW		76415		62175
						76434		

Class 937. 25 kV a.c. Sandite Units.

Formerly Class 302, 305† or 308§.

937 908†	RT	*SA*	IL	977741	(75469)	977742	(61436)
				977743	(75521)		
937 990§	RT	*SA*	EM	977876	(75905)	977877	(61901)
				977878	(75938)		
937 991§	RT	*SA*	IL	977926	(75900)	977927	(61896)
				977928	(75933)		
937 998	RT	*SA*	IL	977604	(75077)	977605	(61062)
				977606	(75070)		

Class 316. Test Unit. Ex Class 307.

316 997	SO	*TE*	EH	977708	(75118)	977709	(61018)
				977710	(75018)		

Service numbers not carried.

CLASS 931 (Formerly 419) 1957 type MLV

DMLV. Built 1959–61. Dual braked.These units are now officially in service stock, but they retain their capital stock side numbers.

Electrical Equipment: 1957-type.
Bogies: Mk 3B.
Gangways: Non-gangwayed.
Traction Motors: Two EE507 of 185 kW.
Dimensions: 19.64 x 2.82 m.
Maximum Speed: 90 mph.

68001. DMLV. Dia. EX560. Lot No. 30458 Ashford/Eastleigh. 1959. 45.5 t.
68003–10. DMLV. Dia. EX560. Lot No. 30623 Ashford./Eastleigh. 1960–61. 45.5 t.

931 090	(9010)	**J**	P	BM	68010
931 091	(9001)	**N**	P	BM	68001
931 092	(9002)	**N**	P	BM	68002
931 093	(9003)	**B**	P	BM	68003
931 094	(9004)	**N**	P	BM	68004
931 095	(9005)	**N**	P	BM	68005
931 097	(9007)	**N**	P	BM	68007
931 098	(9008)	**N**	P	BM	68008
931 099	(9009)	**J**	P	BM	68009

5. EMUs AWAITING DISPOSAL

The following withdrawn DMUs are awaiting disposal with the last known storage location shown.

FORMER CAPITAL STOCK UNITS

304 003	Crewe Brook Sidings	75047	61047	75647	
304 008	Crewe Brook Sidings	75052	61052	75652	
304 021	Crewe Brook Sidings	75685	61633	75665	
304 024	Crewe Brook Sidings	75688	61636	75668	
305 403	LG	75506	61473	75558	
306 017	IL	65217	65417	65617	
4308	Long Marston	61275	75395		
4311	Long Marston	61287	75407		
4732	Long Marston	12795	10239	12354	12796
5001	Long Marston	14001	15207	15101	14002
5176	Long Marston	14352	15396	15354	14351
6213	Long Marston	65327	77512		
6308	Long Marston	14564	16108		
6309	Long Marston	14562	16106		
6402	Long Marston	65362	77547		
7001	ZG	67300	67401	67301	

FORMER SERVICE STOCK VEHICLES

975032	(75165)	SH
977296	(65319)	ZG
977345	(61180)	BD
977347	(61178)	BD
977639	(75548)	Southall ECD
977640	(61463)	Southall ECD
977641	(75214)	Southall ECD
977763	(70871)	ZG
977764	(70866)	ZG

LOOSE CARS

61224	IL
61433	LG
70612	Crewe Brook Sidings
70621	Crewe Brook Sidings
70622	Crewe Brook Sidings
70631	Crewe Brook Sidings
70640	Crewe Brook Sidings
75003	Kineton
75015	Kineton
75019	Kineton
75023	Kineton
75756	ZH
75773	Yoker

LIVERY CODES

All diesel multiple unit vehicles are in the old blue & grey livery unless otherwise indicated. The colour of the lower half of the bodyside is stated first. Please note that although the former Provincial Services sector is now known as Regional Railways, the former name is used for its original liveries.

B	Plain rail blue
CC	BR carmine & cream ("Blood & Custard")
CE	Centro (WMPTE) (grey/light blue/white/green)
CX	Connex (yellow & white with blue solebar stripe)
CW	Connex (plain white)
GE	Great Eastern Railway (grey and blue with green stripe)
GM	New Greater Manchester PTE (dark grey/red/white/light grey)
HE	Heathrow Express (silver)
J	Jaffacake (grey/dark brown with orange stripe)
LS	London Tilbury & Southend (grey, white and blue with green stripe)
MT	Merseytravel (yellow/blue/white/yellow)
N	Network SouthEast (grey/white/red/white/blue/white)
NT	North West Trains (blue with gold cantrail stripe and star)
NW	Network SouthEast (white/red/white/blue/white)
O	Other livery (non-standard - refer to text)
RM	Royal Mail (Red with two yellow stripes)
RN	As RR (see below) but with green stripe under windows
RR	Regional Railways (grey/light blue/white/dark blue with three black and white stripes at end of each light blue band under cabs)
S	Strathclyde PTE (orange and black)
SL	Silverlink (green, white & mauve)
ST	Stagecoach (white/orange/red/blue)
TL	Thameslink (grey with orange and blue shapes)
TN	New Thameslink (grey, yellow and navy blue)
Y	West Yorkshire PTE (red and cream)

OWNER AND OPERATION CODES

This book now uses a (generally) logical system of codes instead of the gobbledygook codes of the BR Rolling Stock Library (RSL). We have decided to do this since RSL information is not officially available to the general public these days and a system of coding which is fairly obvious to the reader is preferred. For passenger train operating companies these are generally based on those used by Railtrack in the Great Britain passenger timetable, but there are a few changes for clarity or to reflect changes since the timetable was printed

OWNER CODES

A Angel Trains Contracts
B British Airports Authority
CX Connex Leasing Company
F Forward Trust Rail (formerly Eversholt Holdings)
P Porterbrook Leasing Company
R Royal Mail
RO Rolltrack
RT Railtrack
SO Serco Railtest

OPERATION CODES

The two letter operation codes give the use to which the vehicle is at present put. For vehicles in regular use, this is the code for the train operating company For other vehicles the actual type of use is shown. If no operation code is shown then the vehicle is not at present in use.

CR Crew training
CT Central Trains
EW English Welsh & Scottish Railway
GE Great Eastern Railway
HE Heathrow Express
LS London Tilbury & Southend
ME Merseyrail electrics
NE Regional Railways North East
NW North Western Trains
RS Research
SA Sandite spraying
SC Connex South Central
SE Connex South Eastern
SR ScotRail
SL Silverlink Railways
SS Special services
ST Stores vehicle
SW South West Trains
TE Test trains
TL Thameslink
WN West Anglia Great Northern

DEPOT CODES

AF Ashford Chart Leacon TMD
BD Birkenhead North T&RSMD
BI Brighton T&RSMD
BM Bournemouth EMUD
BY Bletchley TMD
CE Crewe TMD (E)
EH Eastleigh T&RSMD
EM East Ham EMUD (London)
FF Brussels Forest - SNCB/NMBS
FR Fratton (Portsmouth)
GI Gillingham EMUD
GW Glasgow Shields TMD
HE Hornsey TMD (London)
IL Ilford T&RSMD (London)
KI MoD Kineton*
LG Longsight TMD (E) (Manchester)
LL Le Landy (Paris) - SNCF
LM MoD Long Marston*
NL Neville Hill T&RSMD
OH Old Oak Common Heathrow Express EMUD
PB Pig's Bay*
RE Ramsgate T&RSMD
RY Ryde (Isle of Wight) T&RSMD
SG Slade Green T&RSMD
SH Strawberry Hill EMUD (London)
SL Stewarts Lane T&RSMD (London)
SU Selhurst TMD (London)
TM Tyseley (Birmingham Railway Museum)
WD East Wimbledon EMUD (London)

* Unofficial code

DEPOT TYPE CODES

CS Carriage sidings.
MoD Ministry of Defence Depot (used for storage)
EMUD Electric Muliple Unit Depot.
T&RSMD Traction and Rolling Stock Maintenance Depot.
TMD Traction Maintenance Depot.
TMD (E) Traction Maintenance Depot (Electric).

WORKS CODES

ZA Railway Technical Centre, Derby
ZD ADtranz Derby Carriage Works
ZF ADtranz Doncaster Works
ZG Wessex Traincare Ltd., Eastleigh Works